MacBook
完全マニュアル
2024

MacBook Perfect Manual 2024

standards

Introduction	P004
MacBookの初期設定をはじめよう	P006
Apple IDの基礎知識	P011

Section 01
MacBook
スタートガイド

01

電源とスリープの操作を覚える	P013
トラックパッドの操作法をマスターする	P014
デスクトップの仕組みと外観の設定を行う	P018
Finderの仕組みとウインドウの基本操作	P022
ファイルやフォルダの操作と管理方法	P026
キーボードのキーの名前と役割を覚える	P032
操作をスピードアップする必須ショートカット	P034
MacBookの日本語入力方法	P036
アプリの起動から終了までの基本操作を覚える	P040
アプリのインストールとアンインストールの操作手順	P044
macOSならではの便利な機能を利用しよう	P048
iCloudでさまざまなデータを同期&バックアップする	P056
まずは覚えておきたい設定&操作法	P058

Section 02
標準アプリ
操作ガイド

02

標準アプリとiCloudの関係を理解しておこう	P067
Safari	P068
メール	P072
メッセージ	P076
FaceTime	P078
ミュージック	P080
写真	P084
連絡先	P086
カレンダー	P087
プレビュー	P088
フリーボード	P089
その他の標準アプリ	P090

Section 03
MacBook
活用テクニック

001	MacBookの操作にマウスを使ってみよう	P093
002	複数のデスクトップを使い分ける	P094
003	ファイル管理をスマートに行う上級技	P095
004	macOSの隠れた便利機能を利用する	P096
005	上級者が使っている超効率化ショートカット	P098
006	音声入力を使ってテキストを入力してみよう	P099
007	Time Machineでデータのバックアップを行おう	P100
008	MacBookでWindowsを利用する	P104
009	外部ディスプレイを接続してクラムシェルモードを使う	P106
010	メール管理の上級テクニック	P108
011	パスワードの管理はMacBookにまかせよう	P109
012	「ショートカット」アプリでよく行う操作を自動化する	P110
013	外出先で助かるMacBook用良品アクセサリ	P111
014	まずはインストールしたいおすすめアプリ集	P112

Section 04
iPhoneやiPad
との連携操作法

MacBookとiPhone&iPadの連携の仕組みを理解する	P119
MacBookとiPhoneやiPadで音楽ライブラリを同期する	P120
MacBookとiPhoneやiPadで写真を同期する	P122
SidecarでiPadをサブディスプレイやペンタブレットとして利用	P124
MacBookのトラックパッドでiPadを操作する	P128
iPhoneやiPadのデータをMacBookにバックアップ	P131
便利すぎるMacBook × iPhone&Pad連携技	P132

Section 05
トラブル解決
総まとめ

Appleの保証期間と保証内容を確認しておこう	P137
MacBookが起動しない	P138
MacBookの電源を切ることができない	P139
アプリがフリーズして終了もできない	P139
レインボーカーソルが頻出する	P140
ファイルを誤って上書き保存した	P140
ゴミ箱を空にできない	P141
ユーザ名やパスワードを変更したい	P141
紛失したMacBookを見つけ出す	P142
どうしても不調が治らない時のmacOS再インストール方法	P143

はじめてのパソコンがMacBookの人も
Windowsからの乗り替えユーザーも
もっとしっかり使いこなしたい人も
まとめてきっちりフォローします。

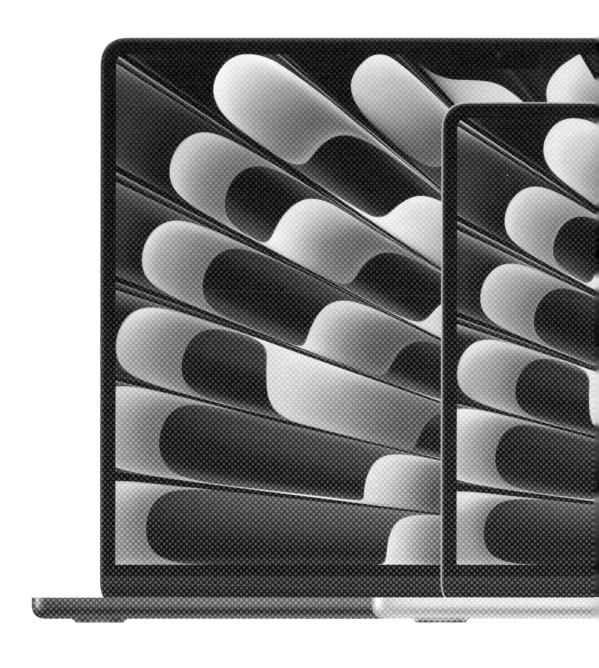

いつも持ち歩いてサッとディスプレイを開き、仕事やクリエイティブな作業に活躍するMacBook。本体もmacOSも、つまずくことなく直感的に扱えるよう設計されているとはいえ、やはりパソコンなので機能や設定、操作法は多岐にわたる。本書は、はじめてのパソコンとしてMacBookを購入した初心者でも、最短でやりたいことができるよう要点をきっちり解説。macOSや標準アプリの操作をスピーディにマスターできる。また、MacBookをさらに便利に快適に使うための設定ポイントや操作法、活用テクニックもボリュームをとって紹介。この1冊でMacBookを「使いこなす」ところまで到達できるはずだ。

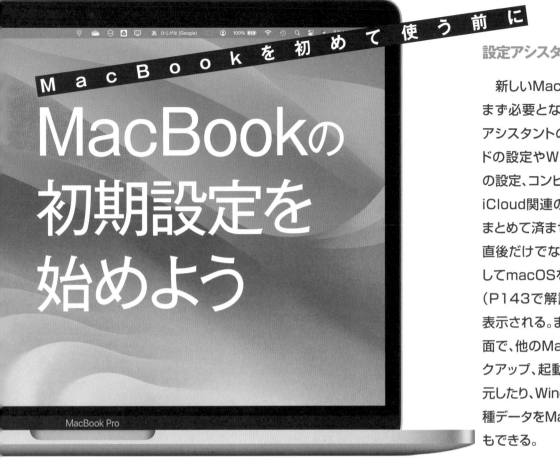

MacBookの初期設定を始めよう

設定アシスタントで簡単に処理できる

　新しいMacBookを使い始める前に、まず必要となるのが初期設定だ。設定アシスタントの案内に従って、キーボードの設定やWi-Fiへの接続、Apple IDの設定、コンピュータアカウントの作成、iCloud関連の設定など、重要な設定をまとめて済ませよう。MacBookの購入直後だけでなく、起動ディスクを初期化してmacOSを再インストールした場合（P143で解説）にも、この初期設定が表示される。また「移行アシスタント」画面で、他のMacやTime Machineバックアップ、起動ディスクからデータを復元したり、Windows PCのファイルや各種データをMacBookに移行させることもできる。

初期設定を始める前にまずはチェック

CHECK! Wi-Fiの接続環境を準備しておく

ネットワーク名とパスワードを確認

初期設定中は、Apple IDの設定などにインターネットを利用するため、基本的にWi-Fi接続が必須。あらかじめ無線LANルーターのネットワーク名やパスワードを確認しておく。通常は、ルーター本体の横面や底面のシールに、ネットワーク名とパスワードが記載されている。なお、有線接続も可能だが、MacBookにはThunderbolt（USB-C）ポートしかないため、EthernetとUSB-Cの変換アダプタが必要だ。

CHECK! 電源に接続しながら設定をすすめよう

初期設定には時間がかかり、その間バッテリーも多く消費するので、電源アダプタに接続しながら設定を行うのがおすすめだ。初期設定中に電源が切れてしまうと、また最初から設定をやり直すことになってしまう。なお、初期設定の画面でも、上部のステータスバーにバッテリーアイコンが表示され、大まかな残量を確認できる。電源に接続せず初期設定を進めるなら、バッテリーアイコンの減り方に注意しておこう。

CHECK! トラックパッドの操作方法を覚えよう

クリックはトラックパッドのどこを押してもよい

初期設定中にマウスをBluetooth接続するといった項目は表示されないので、操作はMacBookのキーボードとトラックパッドで行うことになる。MacBookのトラックパッドを使い慣れていない人は、まず基本的な操作だけ覚えておこう。トラックパッドを指でなぞると、画面上のマウスポインタがそれに合わせて動き、トラックパッド上を押すとクリック操作になる。2本指で押すと右クリックになるが初期設定中は使わない。

設定アシスタント

START

ディスプレイを開くと電源がオンになり、初期設定である「設定アシスタント」が開始される

1 使用する言語や国を設定する

「日本語」を選択

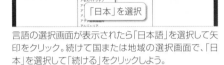

「日本」を選択

言語の選択画面が表示されたら「日本語」を選択して矢印をクリック。続けて国または地域の選択画面で、「日本」を選択して「続ける」をクリックしよう。

2 文字入力や音声入力を設定する

設定をカスタマイズ

他言語のキーボードを追加したい場合はここをクリック

使用するキーボードや音声入力の種類を設定する。標準のままでよければ「続ける」をクリック。変更するなら「設定をカスタマイズ」で個別に設定しよう。

3 アクセシビリティの利用を選択する

クリック → 今はしない

「アクセシビリティ」画面では、VoiceOverなど視覚や身体のサポート機能を有効にできる。特に必要なければ「今はしない」をクリックして次へ進もう。

4 Wi-Fiに接続する

接続するネットワーク名をクリック

接続するネットワークを選んでパスワードを入力し、「続ける」をクリックしよう。iPhoneなどのテザリング機能で接続することも可能だが、通信量には注意が必要だ。

5 個人情報の取り扱いの詳細を確認

クリック

Appleの個人情報の取り扱いについての説明が表示される。確認したら「続ける」をクリックしよう。

6 データの引き継ぎを選択する

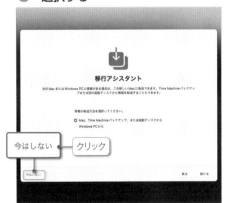

今はしない ← クリック

別のMacやTime Machineバックアップ、Windows PCからデータを引き継げる。引き継ぐ必要がないなら「今はしない」をクリックしよう。

POINT　他のPCやバックアップからデータを移行する

別のMacやTime Machineで復元する

「Mac、Time Machineバックアップ、または起動ディスクから」を選択すると、これまで使っていたMacからデータを転送したり、Time Machineバックアップから復元できる。

別のMacから転送する場合、Wi-Fi接続だとかなり時間がかかる。EthernetやThunderboltケーブルで2台のMacを直接接続するか、Time Machineバックアップから復元したほうが早くて確実だ

Windows PCのデータを移行する

「Windows PCから」を選択し、Windows側では「Windows 移行アシスタント」をインストールすることで、Windows PCからファイルやメール、連絡先、カレンダーなどのデータを移行できる。

7 Apple IDの作成を開始する

Apple IDでサインインを求められる。まだApple IDを取得していないなら、「Apple IDを新規作成」をクリックしよう。

POINT 既存のApple IDでサインインする

すでに持っているApple IDでサインイン

以前のMacBookやiPhone、iPadですでにApple IDを取得済みなら、Apple IDとパスワードを入力して「続ける」をクリック。

確認コードで認証する

2ファクタ認証を設定していると、iPhoneなど信頼したデバイスに確認コードが届くので、これを入力して「続ける」をクリックし手順12に進もう。

8 生年月日を入力する

まず自分の誕生日を登録する。アカウントの本人確認時にも使われることがあるので、正確に入力しておこう。

9 Apple IDを新規作成する

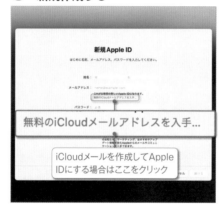

続けて、姓名、メールアドレス、パスワードを入力。このメールアドレスが新しいApple IDになる。iCloudメールを新規作成してApple IDにすることも可能だ。

10 本人確認用の電話番号を入力

Apple IDを認証するための電話番号を入力し、「SMS」にチェックして「続ける」をクリック。SMSを受信できない番号なら「音声通話」でもよい。

11 電話番号に届いた確認コードを入力

先ほど入力した電話番号宛てに、SMSで確認コードが届くので、6桁の数字を入力しよう。自動的に次の画面に移る。

12 利用規約に同意する

利用規約が表示されるので、右下の「同意する」をクリック。さらに確認画面が表示されるので、「同意する」をクリックしよう。

13 コンピュータアカウントを作成

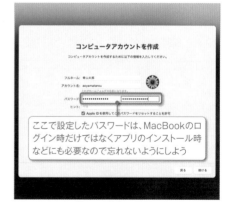

MacBookのログインに使うフルネームとパスワード、ホームフォルダに使用するアカウント名を設定する。あとからでも変更できるが、アカウント名は変更が面倒なのでしっかり考えて登録しておきたい。

POINT

「フルネーム」と 「アカウント名」の違い

コンピュータアカウントの作成で入力する「フルネーム」は、ログイン画面に表示される名前なので何でもよい。パスワードもMacBookのログインに使用するものだ。これらは、「システム設定」→「ユーザとグループ」画面で、あとからでも簡単に変更できる（P141で解説）。ただし「アカウント名」はホームフォルダの名前として使用されるので、あとから変更するには別の管理者アカウントを作成する必要があり、大変面倒だ。「アカウント名」だけは、後で変更しなくてもよいように慎重に決めておこう。

14 iCloudキーチェーン を有効にする

「iCloudキーチェーン」は、Webサイトやアプリのパスワード、クレジットカード情報などを暗号化して保存し、同期できる機能だ。便利なので有効にしておこう。

15 位置情報サービスを 有効にする

続けて位置情報サービスの設定画面が表示される。「このMacで位置情報サービスを有効にする」にチェックして、「続ける」をクリック。

16 解析データの送信を 許可するか選択

品質向上に利用するためのデータを、Appleに自動的に送るかどうかを選択。「Mac解析をAppleと共有」にチェックしたまま「続ける」をクリックして問題ない。

17 スクリーンタイム を設定する

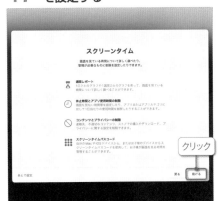

「スクリーンタイム」は、画面を見ている時間についての詳しいレポートを表示してくれる機能。「続ける」をクリックして有効にしておこう。

18 iCloud解析の 許可

iCloudの使用状況とデータの解析をAppleに許可するかを選択できる。必要に応じてチェックして「続ける」をクリック。基本的にはチェックして問題ない。

19 Siriを 有効にする

音声アシスタント機能「Siri」を使うなら、「"Siriに頼む"を有効にする」にチェックして「続ける」をクリックし、機能を有効にしよう。声の種類も選択できる。

20 "Hey Siri"を 設定する

Siriを有効にしたら、「Hey Siri」の呼びかけでSiriが起動するように設定しておこう。「続ける」をクリックし、指示に従って自分の声を登録する。

21 Siriと音声入力の改善に 協力するか選択

品質改善のために音声データをAppleが保存することを許可するかを選択する。特に必要なければ「今はしない」にチェックして「続ける」をクリック。

22 FileVaultディスク 暗号化の設定

どちらもチェック

ドライブを丸ごと暗号化するセキュリティ機能、「FileVaultディスク暗号化」を利用するかを設定。どちらもチェックして「続ける」をクリックすればよい。

23 Touch IDの 設定を開始する

クリック

続けて、指紋認証機能「Touch ID」の設定を開始する。「続ける」をクリックして指紋の登録画面に進もう。

24 Touch IDボタンに 指を当てて指紋登録

クリック

Touch IDボタン(キーボード右上角の電源ボタン)に指を当てて離す作業を何度か繰り返し、指紋を登録していく。登録が完了したら「続ける」をクリック。

25 Apple Payの 登録を行う

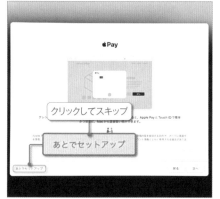

クリックしてスキップ

あとでセットアップ

「Apple Pay」にクレジットカードを登録できる。あとからでも設定できるので、「あとでセットアップ」をクリックしてスキップしてよい。

26 外観モードを 選択する

クリック

外観モードを「ライト」「ダーク」「自動」から選択して「続ける」をクリック。あとから「システム設定」→「一般」で変更できる。以上で初期設定は終了だ。

初期設定完了!

デスクトップが表示され、すぐにMacBookでさまざまな操作を行える

---

macOSをアップデートして最新の状態に保とう

macOSは常に細かな修正が行われており、不具合が解消されたり新機能が追加されると、アップデートとして最新版が配信される。アップデートが使用可能になると通知が表示されるので、なるべく早くインストールを済ませて、macOSを常に最新の状態に保つようにしよう。通知が消えた場合は、「システム設定」→「一般」→「ソフトウェアアップデート」からアップデートを開始できる。

今すぐアップデート

クリック

macOSのアップデート通知が届いたら、Appleメニューの「システム設定」→「一般」→「ソフトウェアアップデート」を開き、「今すぐアップデート」や「今すぐインストール」といったボタンをクリックしよう。

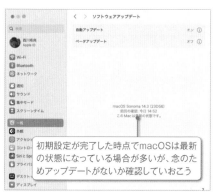

初期設定が完了した時点でmacOSは最新の状態になっている場合が多いが、念のためアップデートがないか確認していこう

管理者のパスワードを入力し、アップデートのダウンロードとインストールを進めよう。「システム設定」→「一般」→「ソフトウェアアップデート」で「最新の状態」と表示されていればアップデート済み。

Apple製品を使う上で必須のアカウント

Apple IDの基礎知識

MacBookだけでなく、iPhoneやiPadといった他のApple製品を使う上でも必須となる、最も重要なアカウントが「Apple ID」だ。Apple IDを使って利用できる主なサービスや機能は下にまとめている通り。Apple IDを持っていない場合は、初期設定中に作成できるほか、Appleメニューの「システム設定」→「サインイン」をクリックすると新しく作成できる。Apple IDとして設定するメールアドレスがない場合は、無料のiCloudメールを作成してApple IDにすることも可能だ。

App Storeの
利用に必要

Mac用のアプリが大量に公開されている「App Store」を利用するには、Apple IDのサインインが必要となる。SNSや写真編集、ビジネスツールにゲームまで、さまざまなアプリをインストールして利用することが可能だ。また、アプリの購入履歴はApple IDに紐付けられるため、一度購入した有料アプリは、同じApple IDでサインインした他のMacでも利用できるし、新しい機種に買い替えた際も購入済みのアプリを再インストールできる。

iCloudの
利用に必須

Apple IDを作成すると、Appleのクラウドサービス「iCloud」を、無料で5GBまで使うことができる。このiCloud上には、メールや連絡先、カレンダーといった標準アプリのデータが保存され、同じApple IDを使ったiPhoneやiPadからも同じデータにアクセスできるようになる。またMacBookの「デスクトップ」と「書類」フォルダにあるファイルも、iCloud上に保存して他のデバイスと同期できるようになる。

iMessageや
FaceTimeを使える

テキストだけでなく写真やステッカーを使ってメッセージをやり取りできる「iMessage」や、無料でビデオ通話や音声通話を楽しめる「FaceTime」を利用する際も、Apple IDが必要だ。Apple IDのメールアドレスが、iMessageやFaceTimeの送受信アドレスになる。どちらも基本的にAppleデバイス同士で使うサービスだが、「FaceTime」はWebブラウザ経由でWindowsやAndroidユーザーとも通話できるようになり、活用の幅が広がっている。

Appleのさまざまな
サービスを使える

約1億曲が聴き放題になるAppleの音楽配信サービス「Apple Music」や、Appleのオリジナルドラマや映画を視聴できる「Apple TV」、電子書籍やオーディオブックを購入して読める「ブック」など、Appleが提供するサービスは数多い。これらを利用するにも、Apple IDが必要だ。また同じApple IDでサインインしていれば、iPhoneやiPadでも同じサービスを同期して楽しむことができる。

iPhoneやiPadとも
連携できる

iPhoneやiPadと同じApple IDでMacBookにサインインすることで、便利な連携機能を利用できる。Safariのブックマークや連絡先など、まったく同じデータに各端末からアクセスできる同期機能の他、MacBook上のPDFにリアルタイムに注釈を書き込める連係マークアップ、端末をまたいでコピペできるユニバーサルクリップボードなど、多彩な連携機能が用意されている。

Apple IDの
設定画面を開く

システム設定を開いて一番上のApple ID名をクリック

Apple IDの設定画面は、Appleメニューから「システム設定」を開き、一番上のApple ID名をクリックすると開くことができる。「サインインとセキュリティ」をクリックすると、あとからApple IDのメールアドレスやパスワードを変更することが可能だ。また支払い情報の変更や、iCloudで同期するアプリの設定、サブスクリプションの管理、ファミリー共有の設定、Apple IDでサインインしているデバイスの管理などもこの画面で行える。よく利用する画面なので覚えておこう。

01

MacBook
スタートガイド

初期設定が完了したら、早速MacBookを使い始めよう。電源やスリープ、トラックパッドの基本操作からスタートし、デスクトップの仕組みやファイルの扱い方、キーボードの機能や日本語入力の方法、アプリのインストールまで、この章で解説している内容をマスターすれば、あっという間に初心者を卒業できるはずだ。

MacBookの電源オン/オフと スリープの操作を覚えよう

使うときは開いて 使わない時は閉じるだけ

MacBookは、ディスプレイを開くことで電源オンやスリープ解除を行える。そして、表示されたロック画面で指紋認証やパスワードを入力してロックを解除すればデスクトップが現れ、すぐに利用を開始できる。使わない時は、ディスプレイを閉じてスリープ状態にしておけばOKだ。以上の基本操作に加え、電源をオフにする手順や電源ボタンの役割も合わせて覚えておこう。

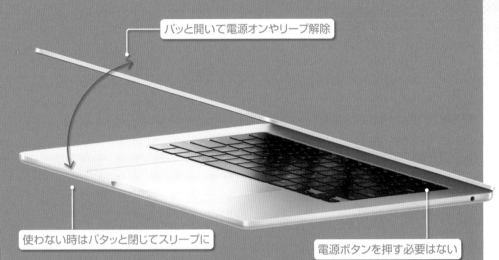

パッと開いて電源オンやリープ解除

使わない時はパタッと閉じてスリープに

電源ボタンを押す必要はない

電源オフではなく スリープで問題なし

MacBookを使い終わった際は、いちいち電源をオフにせずスリープにしておこう。スリープ解除の所要時間は、電源オフから起動するよりも圧倒的にスピーディで、なおかつバッテリーもほとんど消費しない。また、スリープ中もメールの受信やiCloudの同期が実行される点もメリットだ（P061で解説）。なお、アプリを開いたままスリープしても問題ないが、バッテリー切れに備えて作成中の書類はしっかり保存しておこう。

他人に使われないよう ロックがかかっている

ディスプレイを開いてロック画面が表示されたら、設定したパスワードを入力するか、キーボード右上角のTouch IDセンサーに指を当てて指紋認証を行い、ロックを解除する。なお、電源をオンにした際や再起動した際は、パスワード入力が必須となる。

ロックを解除する

MacBookの電源を オフにする手順

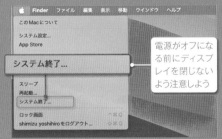

電源がオフになる前にディスプレイを閉じないよう注意しよう

電源をオフにするには、Appleメニュー（画面左上角にあるAppleマーク）で「システム終了」を選択する。次に表示されるダイアログで「システム終了」をクリックすればよい。

ディスプレイを開いたまま スリープさせる

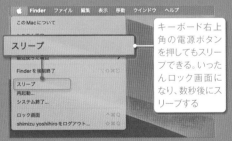

キーボード右上角の電源ボタンを押してもスリープできる。いったんロック画面になり、数秒後にスリープする

ディスプレイを開いたままスリープさせたい場合は、Appleメニュー（画面左上角にあるAppleマーク）で「スリープ」を選択しよう。スリープ解除は、いずれかのキーかトラックパッドをクリックすればよい。

電源ボタンを使う シーンは?

Touch IDセンサーとして指紋を読み取る機能も備える

ディスプレイが開いていて、なおかつ電源がオフの際は、このボタンを押して電源をオンにできる。また、Appleメニューから電源を切ることができない時に、このボタンを10秒程度押し続けて強制終了することも可能。

MacBookを操るための指の動きをマスター

トラックパッドの操作方法をしっかり覚えよう

MacBookの操作の第一歩としてトラックパッドの使い方を覚えよう。
MacBookのトラックパッドの反応は、iPhoneやiPadで行うタッチ操作のように
驚くほどスムーズ。苦手だからマウスを……という人も、まずは試してみてほしい。

スマートで完璧なインターフェイス

MacBookは、キーボードの手前にあるトラックパッドを指でなぞったり押したりして操作する。MacBookのトラックパッドは、精度が高く繊細な操作も可能。また、滑らかな使い心地も抜群で、ポインタの操作にもたついてイライラするようなこともない。極めて完成度の高いインターフェイスなのだ。指を滑らせてマウスポインタを動かしたり、押してクリックしたりする他、2本指で画面をスクロールしたり、iPhoneやiPadのようにピンチイン、ピンチアウトも利用できる。Windowsノートのタッチパッドと基本的な操作法は共通しているので、乗り替えユーザーも迷うことはないはずだ。ただし、Macならではの特徴的なジェスチャも採用されているので、最初に覚えておきたい。なお、さまざまなジェスチャが設定されているがゆえに誤操作が発生することもあるので、不要なジェスチャはあらかじめ無効にしておこう。

トラックパッドの基本ジェスチャ

ジェスチャ 1　置いた指をすべらせる
ポインタの移動

必須

1本指をトラックパッド上ですべらせるように動かすと、それに合わせて画面上のマウスポインタ（矢印）やカーソルを移動させることができる。

ポインタやカーソルを動かす

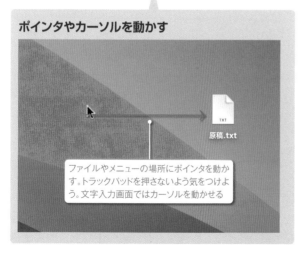

原稿.txt

ファイルやメニューの場所にポインタを動かす。トラックパッドを押さないよう気をつけよう。文字入力画面ではカーソルを動かせる

ジェスチャ 2　トラックパッドを押す
クリック

カチッ

必須

トラックパッドを1本指で押すとクリックになる。トラックパッドのどの場所を押してもよい。押すとカチッという音と共に、クリックした感触を得られる。

ファイルやメニューを選択

MacBook 完全マニュアル2024

ファイルやフォルダ、メニューをクリックして選択する。押し込みすぎると別の操作になるので注意しよう

3 ジェスチャ 2回連続で押す
ダブルクリック

必須

トラックパッドを1本指で素早く2回連続で押すとダブルクリックとなる。カチカチッ
という音と共に、クリックした感触を得られる

ファイルやフォルダを開く

ポインタを重ねてダブ
ルクリックすることで、
ファイルやフォルダを
開くことができる

原稿.txt

4 ジェスチャ 2本指をすべらせる
スクロール

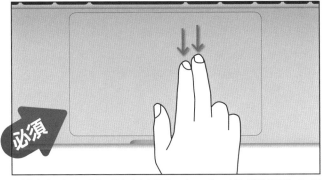

必須

2本指をすべらせるように動かすと、画面をスクロールできる。縦横（画面によって
は斜めでも）どちらの方向にも利用できる。

スクロールの方向を変更する

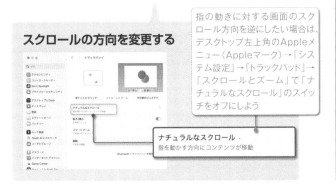

指の動きに対する画面のスク
ロール方向を逆にしたい場合は、
デスクトップ左上角のAppleメ
ニュー（Appleマーク）→「シス
テム設定」→「トラックパッド」→
「スクロールとズーム」で「ナ
チュラルなスクロール」のスイッ
チをオフにしよう

ナチュラルなスクロール
指を動かす方向にコンテンツが移動

5 ジェスチャ 2本指で押す
右クリック（副ボタンクリック）

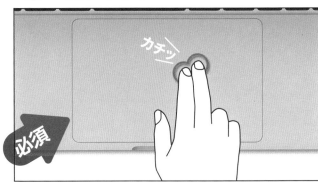

必須

トラックパッドを2本指で押すと、いわゆるマウス操作の右クリックになる。「副ボタ
ンクリック」と呼ばれることもある。

or controlキーと組み合わせる方法も

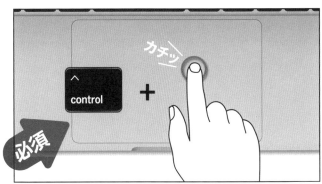

control ＋

必須

「control」キーを押しながら1本指でトラックパッドを押しても右クリックとなる。使
いやすいジェスチャを利用しよう。

ショートカットメニューを表示

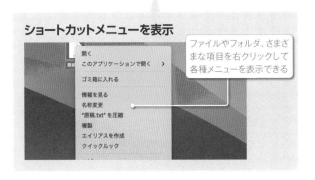

開く
このアプリケーションで開く
ゴミ箱に入れる
情報を見る
名称変更
"原稿.txt"を圧縮
複製
エイリアスを作成
クイックルック

ファイルやフォルダ、さまざ
まな項目を右クリックして
各種メニューを表示できる

POINT 「タップでクリック」は必要?

副ボタンのクリック	2本指でクリック ↕
タップでクリック 1本指でタップ	

トラックパッドをタップ（押すのではなく軽くタッチする）してクリッ
クすることも可能だが、気をつけないと誤操作が起きやすい。この
ジェスチャを利用しないなら、「システム設定」→「トラックパッド」→
「ポイントとクリック」で「タップでクリック」のスイッチをオフにして
おこう。

6 押したまま指をすべらせる
ドラッグ

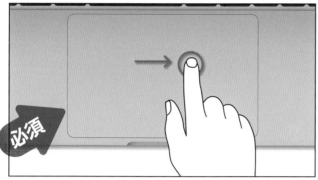

必須

トラックパッドを1本指で押したまま、その指をすべらせるように動かす。指を離したり押し込みすぎたりしないよう気をつけよう

or 2本指を使った方法も

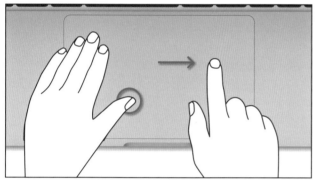

親指などでトラックパッドを押し、もう片方の手の人差し指をすべらせる方法も操作しやすい。

ファイルやメニューを操作

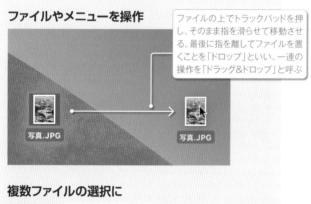

ファイルの上でトラックパッドを押し、そのまま指を滑らせて移動させる。最後に指を離してファイルを置くことを「ドロップ」といい、一連の操作を「ドラッグ&ドロップ」と呼ぶ

写真.JPG　→　写真.JPG

複数ファイルの選択に

複数のファイルやフォルダをまとめて選択する際は、選択範囲の角から対角線にドラッグすればよい

7 2本指を広げる／狭める
ピンチアウト／ピンチイン

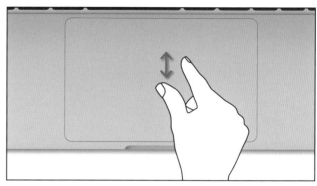

トラックパッドを2本指(親指と人差し指や人差し指と中指)でタッチし、指の間隔を広げたり(ピンチアウト)狭めたり(ピンチイン)して、画面を拡大縮小する操作。

Webサイトやマップの拡大縮小に

Webサイトや写真、マップ、PDFなどでピンチアウト／ピンチインを行って画面を拡大／縮小できる

8 2本指でダブルタップ
スマートズーム

トントンッ

トラックパッドを2本指で2回連続タップ(押すのではなく軽くタッチ)すると、Webサイトや写真、PDFなどを拡大できる。再度ダブルタップで縮小できる。

素早く拡大したい時に

Webサイトで細かい部分を素早く拡大したい時に便利。もう1度ダブルタップすれば元の表示サイズに戻る

9 ジェスチャ 2本指でひねる
画面の回転

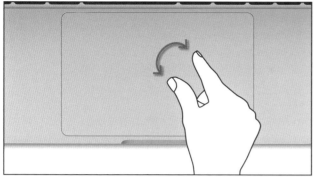

トラックパッドを2本指でタッチし、ひねって回転させると、マップの表示方向や写真などのアイテムを回転させることができる。

10 ジェスチャ トラックパッドを押し込む
強めのクリック

Webサイトやメールの文章中にわからない言葉があったら、カーソルを合わせて1本指で強めにクリックしてみよう。辞書で単語の意味が表示される。

11 ジェスチャ 親指と3本指を狭める
Launchpadを表示

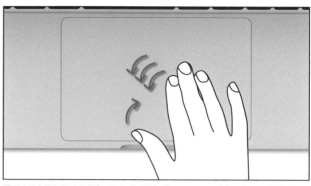

親指と3本指を狭める（ピンチイン）すると、「Launchpad」（アプリの一覧）が表示され素早くアプリを起動できる。

12 ジェスチャ 親指と3本指を広げる
デスクトップを表示

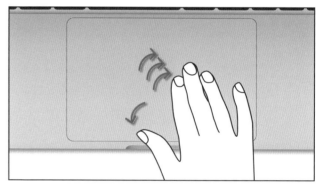

親指と3本指を広げる（ピンチアウト）すると、開いているウインドウがすべて画面外へ押しやられてデスクトップを表示できる。

トラックパッドの設定をチェックする

使わないジェスチャは誤操作の原因になるのでスイッチをオフにし無効にしておこう

トラックパッドの各種設定は、デスクトップ左上角のAppleメニュー（Appleマーク）から「システム設定」を開き、続けて「トラックパッド」をクリックして表示する。ここに全ての設定が用意されている。各操作を実行するためのジェスチャを変更したり、不要なジェスチャを無効にすることができる。本記事で紹介しきれなかった操作法もあるので、この設定画面で確認しておこう。

クリックの強さや軌跡の速さを変更

「ポイントとクリック」では、クリックの強さと軌跡の速さ（トラックパッドに指をすべらせた際のポインタの動きの速度）を変更できる

POINT マウスも利用できる

トラックパッドに慣れない間はマウスの併用も考えよう。Windows用マウスではホイール操作でスクロールを行える。Mac用、Windows用、ワイヤレス、有線のすべてが利用可能だ。

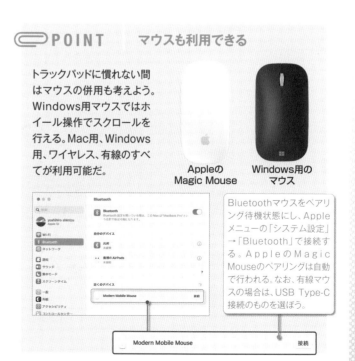

Appleの Magic Mouse

Windows用の マウス

Bluetoothマウスをペアリング待機状態にし、Appleメニューの「システム設定」→「Bluetooth」で接続する。AppleのMagic Mouseのペアリングは自動で行われる。なお、有線マウスの場合は、USB Type-C接続のものを選ぼう。

Modern Mobile Mouse　　接続

すべての操作はここからはじまる

デスクトップの仕組みと外観の設定を行う

MacBookを使いこなすには、まずデスクトップやメニューバー、Dockといった
macOSの基本画面について理解しておく必要がある。
また、デスクトップの壁紙や外観などを変更する方法もここで覚えておこう。

デスクトップまわりの機能を使いこなそう

MacBookを起動してログインを済ませると、画面が「デスクトップ」に切り替わる。iPhoneやiPadのホーム画面のように、macOSの操作のスタート地点となる画面だ。実際の机の上で書類や道具を扱うように、ファイルやフォルダを表示したり整理したりといった操作を行える他、アプリのウインドウもデスクトップ上にいくつも表示して利用できる。また、デスクトップに並べたファイルやフォルダにすぐにアクセスできるので、ファイル置き場、保存場所としてもよく使われている。画面上部のメニューバーには、Appleメニューやアプリメニュー、ステータスメニューなどが表示され、各種設定やアプリごとの機能を呼び出すことが可能。画面下部のDockには、よく使うアプリや最近使ったアプリ、ダウンロードフォルダなどが並べられている。MacBookのほとんどの操作は、このデスクトップやメニューバー、Dockから行うので、まずは各項目の基本機能をしっかり覚えておこう。

基本画面の各種機能について

Appleメニュー

macOSの基本操作にアクセスできる

画面左上のAppleマークをクリックすると、Appleメニューが表示される。ここから「システム設定」や「再起動」「システム終了」など、macOSの基本操作が可能。「システム設定」には、画面やサウンドなどのあらゆる設定項目がまとまっており、設定の変更を行える。

システム設定はDockの「システム設定」からも開くことができる

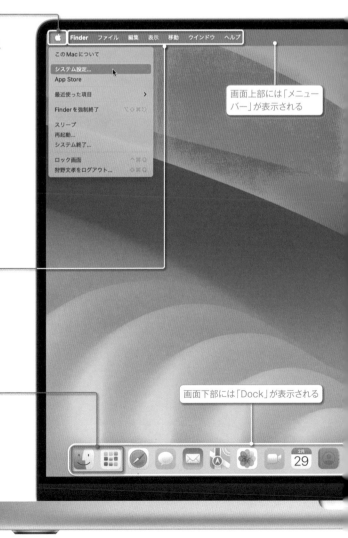

画面上部には「メニューバー」が表示される

画面下部には「Dock」が表示される

アプリメニュー

Finder	ファイル	編集	表示	移動	ウインドウ	ヘルプ

アプリの各種操作はここから行う

画面左上には現在使用している(アクティブになっている)アプリのメニューが表示される。デスクトップやFinderウインドウを操作しているときは、Finderのメニューとなる。

FinderとLaunchpad

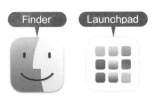

Finderと各種アプリを呼び出す

Finderをクリックすると、新規のFinderウインドウまたはすでに開いているFinderウインドウが表示される。Launchpadをクリックすると、アプリアイコンが並ぶランチャー画面が起動。インストールされている全アプリを表示できる。

バッテリー残量を数値で表示する

バッテリー残量を数値でも確認したい場合は、Appleメニューの「システム設定」を開いて画面左側のサイドバーから「コントロールセンター」を選択。「バッテリー」の項目にある「割合（%）を表示」をオンにしよう。バッテリー残量をパーセンテージで表示可能だ。

メニューバーアイコンの表示／非表示

メニューバーに各種アイコンを表示するかどうかは、「システム設定」→「コントロールセンター」で設定が可能だ。必要なものだけ表示しておこう。

> メニューバーに表示／非表示を切り替えられる

通知センター

通知とウィジェットを表示する

> クリックすると通知センターが開き、各種通知やウィジェットが表示できる

> 最下部のボタンでウィジェットの編集可能

> ウィジェットを編集...

画面右上の日付や時刻をクリックすると画面右端に通知センターが表示される。ここでは、まだ対応していない通知や、天気／時計／カレンダーなどのウィジェットが表示される。ウィジェットはドラッグすることでデスクトップにも配置可能だ。

ステータスメニュー

日本語入力　バッテリー　Wi-Fi

基本機能やアプリの設定が可能

メニューバーの右側には、macOSの機能や各種アプリのステータスアイコンが表示される。各アイコンをクリックすれば、各機能の設定が可能だ。文字入力時における入力ソース（「ABC」「あいう」など）の切り替え、バッテリー残量の確認、Wi-Fi接続のオン／オフなどを行える。

Spotlight

macOSの検索機能である「Spotlight」を起動。MacBook内のアプリや書類、その他ファイルだけでなく、WebサイトやWeb動画などを横断検索できる。

コントロールセンター

コントロールセンターでは、Bluetooth、集中モード、ディスプレイの明るさなど、よく使う機能にすぐアクセス可能だ。

現行モデルのMacBookでは、ディスプレイ上部にカメラやセンサーを内蔵した「ノッチ（切り欠き）」が存在する。このノッチによって画面の一部は隠れてしまうが、メニューバーの各項目は隠れないように表示位置が自動調整される

フォルダやファイル

ダブルクリックで各項目を開ける

デスクトップ上には、フォルダやファイル、外部ディスクなどがアイコンとして表示される。ダブルクリックすれば各項目を開くことが可能だ。

Finderウインドウ

フォルダの中身をウインドウで表示

フォルダやディスクを開くと、Finderウインドウで内容が表示される。ウインドウ左端のサイドバーからは、よく使う項目などにアクセス可能だ。

Dock

よく使うアプリを並べておける

画面下にはDockがあり、よく使うアプリを並べてすぐに呼び出すことが可能だ。Dockの右端部分には最近使ったアプリやダウンロードフォルダなどが表示される。

> 最近使用したアプリ　ダウンロードフォルダ

ゴミ箱

削除した項目が一時保管される

不要なフォルダやファイルなどは、Dockにあるゴミ箱にドラッグ＆ドロップしよう。ゴミ箱を右クリック→「ゴミ箱を空にする」で完全に削除が可能だ。

壁紙とスクリーンセーバーを変更する

デスクトップの雰囲気を壁紙で変えてみよう

デスクトップの背景には、壁紙が表示されている。これは「システム設定」→「壁紙」の設定画面で、好きな画像に変更することが可能だ。以下の手順で設定してみよう。

1 システム設定から「壁紙」を起動する

壁紙を変更したいときは、まずAppleメニューまたはDockにある「システム設定」を起動。サイドバーの項目一覧から「壁紙」をクリックしよう。

2 壁紙を設定する

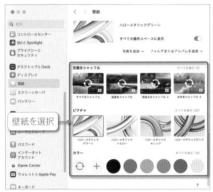

壁紙一覧から適用したいものをクリックすれば、すぐに反映される（一部の壁紙は選択時に自動でダウンロードされる）。また、単色の壁紙にしたい場合は、「カラー」一覧から好きな色をクリックすればよい。

3 好きな画像を壁紙にしたいときは?

自分の好きな画像を壁紙として設定したいときは、「写真を追加」、「フォルダまたはアルバムを追加」で写真やフォルダなどを追加しておけばいい。

時間帯で壁紙の色合いを変化させることができる

標準で搭載されている壁紙の中には、「ダイナミックの壁紙」というカテゴリに分類されているものがある。これを使うと、時間帯に応じて壁紙の色合いが明るくなったり暗くなったりする。

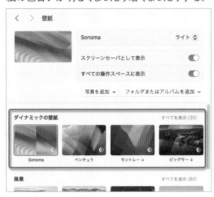

壁紙の設定画面で、「ダイナミックの壁紙」から好きなものを選んでみよう。壁紙名の横に「↓」マークが表示されているものは選択時に自動ダウンロードされる。

POINT

「ダイナミックの壁紙」の表示をライトやダークで固定させる方法

一部の「ダイナミックの壁紙」では、画面上部の設定項目で「自動（ダイナミック）」「ライト」「ダーク」の3種類が選べる。時間帯に関わらず、ライトまたはダークの状態で固定させたい場合はここから設定しよう。

ライト ↕

スクリーンセーバーを設定してみよう

「システム設定」→「スクリーンセーバー」では、好きなスクリーンセーバーを選択可能だ。動画マークの付いているものは、動画が再生されるようになる。なお、「ロック画面設定」のボタンが表示されている場合は、スクリーンセーバーの開始前にディスプレイが消灯状態となる設定になっているため、クリックしてスクリーンセーバーの開始時間を短くするか、画面消灯までの時間（P058で解説）を長くしておこう。

「ダイナミックの壁紙」の変化

午前中の時間帯（ライト）

夕方の時間帯

夜の時間帯（ダーク）

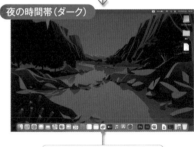

「ダイナミックの壁紙」を選択した場合、時間帯によって色合いが細かく変化する。朝から昼間にかけては明るく、夜になると暗く落ち着いた色になる

「ロック画面設定」が表示されていたら、クリックして設定を変更する

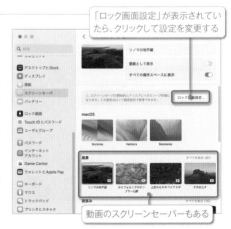

動画のスクリーンセーバーもある

画面の解像度を変更して文字サイズや画面の広さを調整する

ディスプレイ設定を使いやすいように変更しよう

画面に表示される文字やアイコンなどをもっと大きくしたい、または画面をもっと広く使いたいといった場合は、画面の解像度を変更してみよう。画面の解像度は「システム設定」にある「ディスプレイ」で設定できる。「文字を拡大」を選んだ場合、画面の文字やアイコンなどが大きく表示されるが、1画面に表示できる情報やウインドウは少なくなる。「スペースを拡大」を選んだ場合、画面の文字やアイコンなどは小さく表示されるが、1画面に表示できる情報やウインドウが多くなる。好みによって調整しておこう。

1 「システム設定」→「ディスプレイ」で設定する

まずは「システム設定」を起動して「ディスプレイ」をクリック。すると、画面右側にあるエリアで画面の解像度を調節できる。自分の見やすい状態にしておこう。

2 文字サイズや画面の広さが調整できる

解像度最小

解像度最大

解像度を最小（5段階の左端）にすれば、文字やアイコン、ウインドウなどが大きくなる。解像度を最大（5段階の右端）にすれば、文字などは小さくなるが、その分たくさんの情報を1画面で表示できるようになる。

ライトとダークを切り替えられる「外観モード」の設定

1 「システム設定」→「一般」で設定する

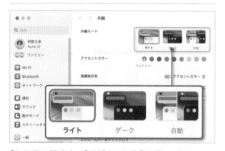

「システム設定」→「外観」にある「外観モード」では、macOSの各種インターフェイス（ウインドウやボタン、Dockなど）の色合いを変更可能だ。色合いは白ベースの「ライト」と黒ベースの「ダーク」の2種類がある。

2 外観モードを自動にすると時間帯で外観モードが切り替わる

夜の時間帯はダークモードになる

外観モードを「自動」にした場合、時間帯によって「ライト」と「ダーク」の外観モードが自動的に変化。日中は明るい外観（ライト）、夜間は暗い外観（ダーク）となる。壁紙の色合いも場合によっては連動する。

アクセントカラーと強調表示色を変更する

好きな色を設定しよう

外観の設定画面では、アクセントカラーや強調表示色を変更可能だ。アクセントカラーは、メニューやボタン、選択項目の背景色などに使われ、強調表示色は選択したテキストの背景色に使われる。なお、アクセントカラーを「マルチカラー」にしておくと、アプリごとにあらかじめ設定された色が使われる。

Dockのスタイルを変更する

システム設定でDockをカスタマイズする

「システム設定」にある「デスクトップとDock」では、Dockの表示設定などを変更できる。Dockのサイズや拡大（Dockのアイコンにマウスポインタを合わせたときにアイコンを拡大するかどうか）、画面上の位置など、各種設定を使いやすい状態にしておくといい。

「システム設定」→「デスクトップとDock」でDockの表示設定を行う

システム設定にある「デスクトップとDock」の設定画面。基本的には標準状態のままで問題ないが、好みに応じてカスタマイズしよう。「画面上の位置」を変更すれば、Dockを画面の左や右にも表示することが可能だ。なお、画面を広く使いたい場合は、「Dockを自動的に表示/非表示」をオンにしておくといい。普段はDockが非表示になるが、マウスポインタを画面最下部に動かせば自動的に表示されるようになる。

Dockのインジケータとアニメーション

「起動中のアプリケーションをアニメーションで表示」をオンにしておくと、Dockからアプリを起動中にアイコンが上下に動くようになる。また、「起動済みのアプリにインジケータを表示」をオンにしておくと、起動中のアプリアイコンの下に小さな●マークが表示されるようになる。

起動中のアニメーション

起動済みのインジケータ

ファイルやフォルダを快適に操作しよう

Finderの仕組みとウインドウの基本操作

macOSには「Finder」と呼ばれるファイル管理システムが搭載されている。ファイルやフォルダを思い通りに操作するには、このFinderの仕組みを理解しておく必要がある。また、Finderウインドウの基本操作にも慣れておこう。

ファイル管理システム「Finder」の基本

「Finder」とは、macOSに標準搭載されているファイル管理システムのことだ。Finderは、MacBookの電源を入れてログインすると自動的に起動し、ほかのアプリの実行中でも常に起動したままとなる(ちなみに、Windowsには「エクスプローラー」というファイル管理システムが搭載されている)。たとえば、デスクトップに表示されるファイルやフォルダのアイコン、フォルダを開いたときに表示される

ウインドウなどは、すべてFinderが提供している機能だ。このFinderを使いこなせれば、素早く目的のファイルを探したり、効率的に書類やデータを整理したりできる。ここでは、Finderウインドウの開き方や基本的な使い方、各種設定、カスタマイズ方法などを紹介していく。また、macOSの基本的なディレクトリ構造についても解説しておくので、Mac初心者はチェックしておこう。これらを身に付けておけば、必要なファイルやフォルダがどこにあるのかがすぐに把握できるようになる。

Finderウインドウを開いてみよう

Finderウインドウの開き方

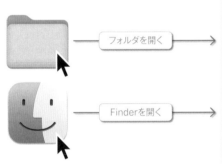

フォルダを開く

Finderを開く

「<」「>」ボタンを押すと、そのウインドウで表示していた前の画面に戻る／進むことができる

Finderウインドウ内でフォルダをダブルクリックすると、さらにその中身が表示され、より深い階層にあるファイルにアクセスできる

サイドバーにある「デスクトップ」をクリックすれば、デスクトップにあるファイルやフォルダなどがウインドウ内に表示される

フォルダを開くか「Finder」を起動するとFinderウインドウが開く

フォルダやドライブなどをダブルクリックするとFinderウインドウが開き、中身のファイルやフォルダが表示される。また、Dockにある「Finder」を起動すると、新規のFinderウインドウを開く、またはすでに開いているFinderウインドウを最前面に表示することが可能。アプリのウインドウでデスクトップが見えないときに使うと便利だ。

サイドバー
「よく使う項目」「iCloud」「場所」の各項目をクリックすれば、その内容が表示される。「タグ」はファイルやフォルダにタグを付ける機能だ。

ツールバー
ウインドウ上部の各種ボタンなどで、戻る／進むの操作や、表示形式や表示順序の切り替え、各種設定、検索などが行える。

新規Finderウインドウで表示する場所を変更

Finder設定を表示し、「新規Finderウインドウで次を表示」を設定

新規のFinderウインドウを開いたとき、初期状態では「最近の項目」が表示される。この場所は設定で変更可能だ。Dockの「Finder」をクリックし、アプリメニューの「Finder」→「設定」で設定しよう。デスクトップにいろいろなファイルを保存している人は「デスクトップ」にしておくといい。

ウインドウ左上のボタンについて

ウインドウ左上にある3つのボタンでは、閉じる／しまう／最大化の操作ができる。なお、マウスポインタを合わせると、それぞれのマークが表示される。

閉じるボタン
クリックするとそのウインドウを閉じることができる。

しまうボタン
ウインドウを一時的に非表示にして、Dockに格納する。

最大化ボタン
ウインドウをフルスクリーンで表示する。再び押せば元に戻る。

Finderウインドウの4つの表示形式

それぞれの表示形式を使いこなしてみよう

Finderウインドウでは、画面上部のボタンでファイルやフォルダの表示形式を選ぶことが可能だ。表示形式には「アイコン」「リスト」「カラム」「ギャラリー」がある。それぞれの特徴を把握して、用途に応じて使い分けていこう。

Finderウインドウの上部にある4つのボタン。クリックすると表示形式を切り替えることが可能だ。なお、ウインドウ幅が狭い場合はドロップダウンメニューで表示される（右画像）。

ウインドウ幅が狭いときは、ドロップダウンメニューになる

アイコン表示

ファイルの内容がアイコン表示でわかりやすい

アイコン表示では、ファイルのアイコンが大きく表示されるため、画像や動画、オフィスファイル、PDFなどの内容を判別しやすい。ドラッグ&ドロップでファイルやフォルダの位置を変更できるのも特徴だ。

グループ分けと表示順序の変更

クリックでグループ分け、「option」キー+クリックで表示順序の変更

上記のボタンを押して、メニューから項目を選ぶと、グループ分けでの表示が可能。また、「option」キーを押しながらボタンを押した場合は、表示順序を設定することができる。

リスト表示

ファイルごとの変更日やサイズで並べ替えしやすい

リスト表示では、ファイル名のほか、変更日やサイズといった項目が一覧表示される。最上部の項目名部分をクリックすることで並べ替えが可能だ。また、項目名ごとの境界部分をドラッグして表示領域を広げれば、長いファイル名も省略されずにすべて表示できる。

カラム表示

深い階層のフォルダから上のフォルダに戻りやすい

カラム表示では、フォルダをクリックすると右側のカラムにその内容が一覧表示される。この表示形式だと、深い階層のフォルダにもアクセスしやすく、階層移動もカラムを移動するだけなので楽だ。なお、ファイルをクリックすれば、右側にプレビューと詳細情報も表示される。

ギャラリー表示

写真を探す時に便利

ギャラリー表示では、ファイルやフォルダが画面下に並び、クリックすることで大きなプレビュー画像が表示される。プレビューしながら目的の写真を探したいときに使うと便利。画面の右側には現在プレビューしているファイルの名前や作成日、大きさなども表示される。

POINT Finderウインドウの必須設定&操作方法

Finderを快適に使う上で、覚えておいたほうがいい必須設定や操作方法を以下にまとめてみた。なお、いくつかの操作で必要となるFinderのアプリメニューは、Finderウインドウまたはデスクトップをクリックしてアクティブすると表示される。

もうひとつ別のFinderウインドウを表示

Finderウインドウを新たに開きたい場合は、Finderのアプリメニューから「ファイル」→「新規Finderウインドウ」を実行しよう。現在開いているFinderウインドウとは別のウインドウが新規に開かれる（初期設定では「最近の項目」が表示される）。

特定のフォルダを常に同じ表示形式で開く

特定のフォルダの表示形式を固定する場合は、そのフォルダを開き、アプリメニューの「表示」→「表示オプションを表示」で、「常に○○表示で開く」にチェックを入れよう。なお、「デフォルトとして使用」をクリックすると、すべてのフォルダに適用される。

ウインドウサイズを最適な大きさにする

タイトル部分をダブルクリックする

Finderウインドウのタイトル部分をダブルクリックすると、ウインドウの大きさが最適なサイズに自動調整される。できるだけすべてのファイルが見えるようにウインドウサイズが調整され、隠れていたアイコンが表示されるので試してみよう。

Finderウインドウを使いやすくカスタマイズする

ツールバーにあるボタンなどの項目をカスタマイズする

Finderウインドウの上部にあるツールバーでは、ボタンや検索欄といった各項目の並べ替えや、新しい項目の追加が可能だ。ツールバーを右クリック（または「control」＋クリック）→「ツールバーをカスタマイズ」で編集画面を表示し、使いやすいようにカスタマイズしよう。

まずは、ツールバーを右クリック（または「control」＋クリック）して、「ツールバーをカスタマイズ」を選択する。

項目をツールバーに追加する

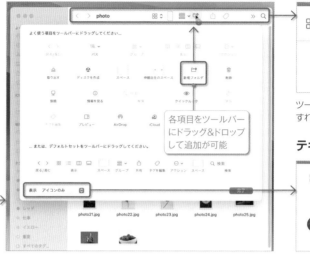

各項目をツールバーにドラッグ＆ドロップして追加が可能

表示された項目から追加したいものをツールバー上にドラッグ＆ドロップしよう。また、ツールバーの項目を削除したい場合は、その項目をツールバー外にドラッグ＆ドロップすればいい。「パス（上層のフォルダに簡単に戻れる）」や「削除」などを追加しておくと便利だ。

ツールバーの並べ替え

ドラッグ＆ドロップ

ツールバーの項目をドラッグ＆ドロップすれば、並べ替えも可能だ。

テキスト表示も可能

各項目の名称が表示される

「表示」を「アイコンとテキスト」に設定すると、各項目の下にボタン名などが表示されてわかりやすくなる。

サイドバーに表示される項目をカスタマイズする

Finderウインドウのサイドバーには、「よく使う項目」「iCloud」「場所」といった項目が表示されている。これらの項目も自由にカスタマイズが可能だ。設定する場合は、Finderのアプリメニューにある「Finder」→「設定」→「サイドバー」から行おう。

サイドバーをカスタマイズする場合は、Finderのアプリメニューから「Finder」→「設定」を選択する。

サイドバーの項目を追加／削除する

サイドバーに表示したい項目のみにチェックを入れる

Finder設定の画面が表示されるので「サイドバー」をクリックする。項目一覧から、サイドバーに表示したい項目にだけチェックを入れておこう。

サイドバーから項目を削除する

サイドバーの各項目を右クリックし、「サイドバーから削除」を選べば、その項目を削除できる。

サイドバーの項目を並び替える

ドラッグ＆ドロップ

サイドバーの項目をドラッグ＆ドロップすれば、項目の並べ替えが可能だ。使いやすい状態にしておこう。

よく使うフォルダをサイドバーに登録しておく

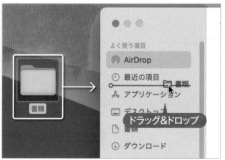

ドラッグ＆ドロップ

好きなフォルダをサイドバーにドラッグ＆ドロップすると、そのフォルダを項目として追加することが可能だ。頻繁にアクセスするフォルダは登録しておこう。

POINT　MacBook自体を「場所」に追加して最上位の階層を表示する

サイドバーの「場所」に、「○○のMacBook（コンピューター名）」という項目を追加しておくと、macOSの最上位の階層をすぐに表示できる。接続中の全ストレージにすぐアクセスしたい人は設定しておこう。

「Finder」→「設定」→「サイドバー」で項目を追加しておこう

タブバー、パスバー、ステータスバーを表示する

表示メニューから各種バーの表示／非表示を切り替える

Finderウインドウを表示した状態で、Finderのアプリメニューから「表示」メニューを表示してみよう。ここから「タブバー」や「パスバー」「ステータスバー」の表示／非表示の切り替えが可能だ。特に、パスバーとステータスバーはフォルダ移動やファイル管理で役立つので常に表示しておくのがオススメ。

1 アプリメニューから「表示」→「タブバーを表示」を選択

Finderウインドウを表示した状態で、Finderのアプリメニューから「表示」→「タブバーを表示」を選択する。なお、この表示メニューから「パスバー」や「ステータスバー」も表示／非表示できる。

2 タブバーで複数のタブを切り替えながら内容を確認できる

Finderウインドウの上部にタブバーが表示される。タブバー右端の「+」ボタン、または「command」を押しながらフォルダやサイドバーの項目を開けば、同じウインドウ内の新規タブで各フォルダの内容を表示可能だ。

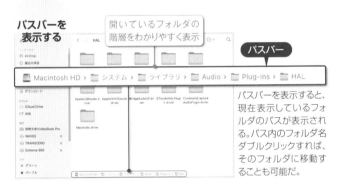

パスバーを表示すると、現在表示しているフォルダのパスが表示される。パス内のフォルダ名ダブルクリックすれば、そのフォルダに移動することも可能だ。

ステータスバーを表示すると、現在表示しているフォルダ内にある項目数、および選択状態の項目数が表示される。また、右端のスライダーでアイコンの大きさを調整することが可能だ。

本体内蔵のハードディスクを表示して全体の階層を把握する

「Machintosh HD」を表示してみよう

Finderの設定から、本体内蔵のハードディスク（標準のドライブ名は「Machintosh HD」）をデスクトップに表示することができる。内蔵のハードディスクのルートディレクトリからファイルを探したい人は設定しておくといい。以下で解説しているmacOSのディレクトリ構造を理解しておけば、内臓ハードディスク内の各ファイルにアクセスしやすくなるので、これも覚えておこう。なお、実際のストレージはSSDだが、名称やアイコンはハードディスクとして表示される。

1 「Finder設定」から「ハードディスク」を表示する

Finderのアプリメニューから「Finder」→「設定」を選択。上の画面で「一般」を表示したら、「ハードディスク」にチェックを付けよう。

2 「Machintosh HD」が表示される

すると、内蔵ハードディスクのアイコンがデスクトップに表示される。内蔵ハードディスクのルートディレクトリからファイルを探したい人にはこの設定がオススメだ。

macOSの基本的なディレクトリ構造

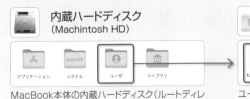

MacBook本体の内蔵ハードディスク（ルートディレクトリ）を開くと、「アプリケーション」や「システム」「ユーザ」「ライブラリ」フォルダが用意されている。

ユーザフォルダを開くと、自分のユーザ名のフォルダがある。これを「ホームフォルダ」と呼ぶ。また、「共有」フォルダなども用意されている。

ホームフォルダには、「ダウンロード」や「ミュージック」などの各種書類が保存される。デスクトップフォルダもここにある（iCloudと同期していない場合）。

ファイルの保存や整理方法を身に付けよう

ファイルやフォルダの 操作と管理方法

Finderはファイルを管理するための便利な機能がたくさん用意されている。
ここでは、新規フォルダの作成方法やファイルの削除方法といった基本も含め、
ファイルを効率的に管理するための必須操作を解説していく。

Finderファイルを管理するための基礎知識

パソコン初心者は「以前保存したファイルがどこにあるかわからなくなる」という状態になりやすい。そうならないためにも、Finderのファイル管理方法を身に付けて、ファイルを普段から整理しておくようにしよう。macOSでは、Windowsなどの一般的なパソコンと同じで、フォルダでファイルを整理する仕組みが取り入れられている。現実世界で書類をファイリングして整理するのと同じ考え方だ。まずは、

新規フォルダをデスクトップに作り、適当なファイルをフォルダの上にドラッグ&ドロップしてみよう。これでそのファイルがフォルダ内に移動される。この方法で自分がわかりやすいようにファイルを整理していけばいい。また、各種アプリで作成したファイルを保存する場合、どの場所に保存するのかを自分で選択しておくことも重要だ。そのほかにも、ファイルの削除方法、ファイルの検索方法、ファイルの整理方法など、MacBookを使う上で必ず覚えておきたい操作方法を紹介していくので目を通しておこう。

新規フォルダの作成とファイルの削除方法

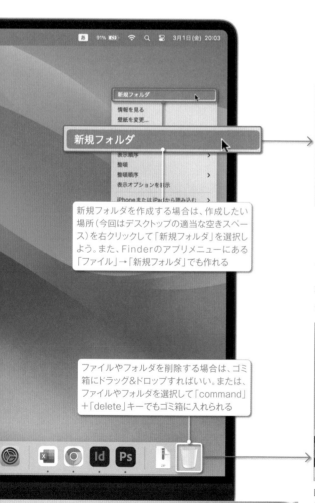

新規フォルダを作成する場合は、作成したい場所（今回はデスクトップの適当な空きスペース）を右クリックして「新規フォルダ」を選択しよう。また、Finderのアプリメニューにある「ファイル」→「新規フォルダ」でも作れる

ファイルやフォルダを削除する場合は、ゴミ箱にドラッグ&ドロップすればいい。または、ファイルやフォルダを選択して「command」＋「delete」キーでもゴミ箱に入れられる

新規フォルダの作成方法

新規フォルダを作成するには、デスクトップやFinderウインドウ内の何もない場所を右クリック→「新規フォルダ」を選択すればいい。最初は「名称未設定フォルダ」という名前なので、わかりやすい名前に変更しておこう。

既存のフォルダ名を変更する

すでにあるフォルダの名前を変更したい場合は、フォルダをクリックして選択してから「return」キーを押せばいい。または、フォルダを選択してから名前部分をクリックしても変更できる（ダブルクリックにならないように、クリックの間隔を1秒ぐらいあける）

ファイルやフォルダを削除する

不要なファイルやフォルダは、Dockのゴミ箱の上にドラッグ&ドロップしてから、ゴミ箱を右クリック→「ゴミ箱を空にする」→「ゴミ箱を空にする」で削除できる。

Dockの右端にあるのがゴミ箱だ。ここに不要なファイルやフォルダをドラッグ&ドロップすると、ゴミ箱のアイコンがゴミ入りの状態に変化する。ゴミ箱の中身を完全に削除したい場合は、ゴミ箱を右クリックして「ゴミ箱を空にする」を実行すればいい。なお、ゴミ箱をクリックすると中身を表示できる。完全に削除する前のファイルやフォルダは、取り出して再度利用可能だ。

ファイルを保存する際の操作方法

macOSにおけるファイル保存時の作法を覚えよう

各種アプリでファイルを保存する場合、何も考えずに保存してしまうと、あとでどこに保存したかがわからなくなってしまいがちだ。ファイル保存時は、保存する場所をしっかり意識して選択し、ファイル名にわかりやすい名前を付けるようにしておこう。保存の操作は、ほとんどのアプリで共通なので、以下で手順を覚えておくこと。なお、「メモ」や「リマインダー」などの一部標準アプリは、自動でiCloudにデータが保存されるため、保存の操作が不要だ。

1 各種アプリで保存ダイアログを表示する

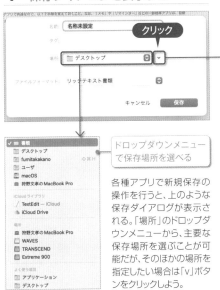

ドロップダウンメニューで保存場所を選べる

各種アプリで新規保存の操作を行うと、上のような保存ダイアログが表示される。「場所」のドロップダウンメニューから、主要な保存場所を選ぶことが可能だが、そのほかの場所を指定したい場合は「v」ボタンをクリックしよう。

2 大きな保存ダイアログで保存したい場所を開いて「保存」をクリック

名前欄でわかりやすいファイル名を付けておこう

サイドバーから場所を開くことも可能だ

Finderウインドウと同じようにファイルの保存場所を開いておく

「新規フォルダ」で現在開いている場所に新規フォルダを作成する

「保存」で現在開いている場所にファイルを保存。キャンセルで保存を取りやめる

これで保存ダイアログが大きくなり、Finderウインドウと同じような操作でより詳細な場所を指定できるようになる。保存したい場所を開いたら、右下の「保存」をクリックしてファイルを保存しよう。

新規ファイルを保存せずに削除する

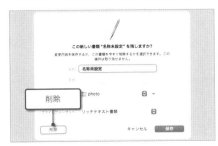

各種アプリで新規データを作成し、まだファイルとして一度も保存していない状態でアプリのウインドウを閉じようとすると、左のような保存ダイアログが表示される。このとき、左下の「削除」を選択すれば、そのまま保存せずにデータを削除することが可能だ。

フォルダをドラッグ&ドロップして場所を指定

保存ダイアログ上にフォルダをドラッグ&ドロップ

保存ダイアログにフォルダをドラッグ&ドロップすると、その場所を指定することが可能だ。すでにデスクトップにあるフォルダを保存場所として指定したいときなどに使うと便利。

POINT

iCloud Driveをオンにしている場合の注意点

「iCloud Drive」とは、Appleが提供するクラウドストレージ機能のこと。macOSでは、「デスクトップ」や「書類」フォルダの内容および、一部アプリのファイルをこのiCloud Driveで同期する機能が用意されている。ほかの端末からもファイルにアクセスできるようになるので便利なのだが、iCloudの容量を追加購入していないと最大5GBまでしか保存できないという大きなデメリットがある。iCloudの追加ストレージを購入しないのであれば、iCloud Driveはオフにした方がトラブルになりにくい。

iCloudのストレージ容量が少ないときは「iCloud Drive」の同期をオフに

現在のiCloudストレージ容量が表示される。「管理」からiCloudの追加ストレージを購入することも可能だ

「iCloud Drive」をクリックして、「このMacを同期」をオフにする。iCloud Driveを使う場合でも、「"デスクトップ"フォルダと"書類"フォルダ」はオフにしておいたほうがいい

iCloud Driveの機能をオフにする場合は、「システム設定」を開き、画面左上にあるApple ID名をクリックしよう。「iCloud」→「iCloud Drive」をクリックしたら、「このMacを同期」をオフにすればいい。なお、iCloud Driveをオンからオフに切り替えた場合、過去にMacからiCloudにアップロードした書類を「Macから削除」するか「(Macに)コピーを残す」かを選べる。好きな方を選んでおこう。どちらを選んでもオリジナルのファイルはiCloud Drive(Finderウインドウのサイドバーからアクセス可能)上に残っている。

保存したファイルが見当たらないときは？

ファイルが保存されやすい場所を探してみよう

ここでは、ファイルをどこに保存したのか忘れてしまった場合の対処法をいくつか紹介しておこう。macOSには「最近使った項目」や「最近の項目」というファイルの使用履歴を表示してくれる便利な機能があるので、まずはこれを利用するのが基本となる。これで見つからない場合は、Finderの検索機能などを活用して目的のファイルを探してみよう。

「最近使った項目」か「最近の項目」をチェックしてみる

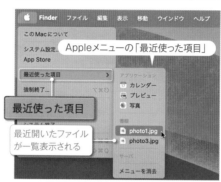
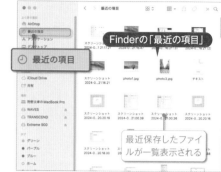

探したいファイルが最近保存、または最近使用したものであれば、Appleメニューの「最近使った項目」か、Finderウインドウのサイドバーから「最近の項目」を開いてみよう。「最近使った項目」では過去に開いたファイル、「最近の項目」では、過去に保存したファイル（macOSが起動しているストレージ内に保存したファイルのみ）の履歴が表示される。

各アプリで最近使った項目を開く

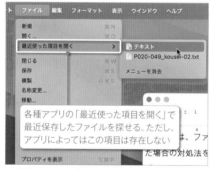

アプリによっては、「ファイル」→「最近使った項目を開く」で過去に保存したファイルを探せる。保存したアプリがわかっているのであれば、この方法で探そう。

よく使われる保存場所を探す

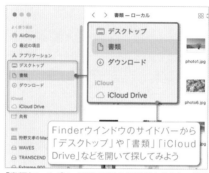

「書類」フォルダは、各種アプリの初期保存先として指定されやすい場所なので、ここも探してみよう。「デスクトップ」や「iCloud Drive」も同じように探すといい。

開いたファイルの保存先を調べる

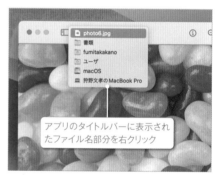

アプリでファイルを開いている状態であれば、タイトルバーを右クリックしてみよう。アプリによっては、そのファイルの保存フォルダが表示される。

Finderの検索機能を使って目的のファイルを探す

上記の手段でファイルが見つからず、探しているファイルの名前や内容などがわかっている場合は、Finderの検索機能を使って探してみよう。まずはFinderウインドウで目的のファイルがありそうな特定のドライブやフォルダなどを開いておく。次に右上の検索欄にファイル名を入力して「return」キーを押そう。必要であれば場所やファイルの種類などの検索条件を追加することも可能だ。なお、Finderの検索機能では、単純にファイル名だけでなく、文書ファイル内に書かれている内容や、画像認識によって推測された写真の内容、Finderが検索キーワードから推測したファイル形式なども結果に表示してくれる。たとえば、「花」と検索して花が写っている写真を探したり、「テキスト」と検索してリッチテキスト書類や標準テキスト書類のファイル形式を検索したり、などが簡単に可能だ。

1 各種アプリで保存ダイアログを表示する

Finderウインドウで検索したい場所を開き、右上の虫眼鏡マークをクリック。検索キーワードを入力して「return」キーを押す。検索をファイル名のみに限定したい場合は、「名前に"○○○"を含む」を選択しておく。

2 検索の場所を指定する

検索結果が表示される。検索する場所は「このMac」もしくは先ほどFinderウインドウで開いた場所（上面画像では「写真」フォルダ内）から選べる。「このMac」だと、外付けストレージも含めたMac全体から検索が可能だ。

3 検索条件を絞り込む

検索キーワード入力欄の下にある「＋」をクリックすると、検索条件を追加することができる。たとえば、ファイルの「種類」を「画像」に限定する、といったことが可能だ。

覚えておきたいファイルやフォルダの操作法

ファイルやフォルダを複製してみよう

　ファイルやフォルダをコピーして複製したい場合は、「option」キーを押しながら項目をドラッグし、コピーしたい場所でドロップしよう。すると、まったく同じファイルまたはフォルダが複製できる。複数の項目を選択してドラッグ&ドロップすれば、複数同時に複製することも可能だ。なお、この操作は「command」+「Z」キーで取り消すことができる。また、同じフォルダ上に同じファイルを複製した場合は、ファイル名の末尾に番号（「○○○ 2」など）が付く。

「option」+ドラッグで複製が可能

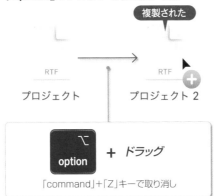

「option」キーを押しながらファイルをドラッグ&ドロップすると同じファイルが複製できる。この操作はフォルダにも適用可能だ。「command」+「Z」キーを押せば、直前の複製を取り消せる。

ファイルやフォルダのコピー&ペーストも可能

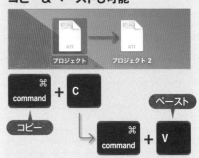

ファイルやフォルダを選択した状態で「command」+「C」キーを実行し、ペーストしたい場所で「command」+「V」キーを実行すると、項目のコピー&ペーストが可能だ。ファイルを別のフォルダに複製したいときに使うと便利。

ファイル名の拡張子を表示しておこう

　拡張子とは、ファイルの種類を判別するためにファイル名の末尾に付けられる文字列（.pdfや.txtなど）のことだ。macOSの標準状態だと、一部のファイル形式を除き、ファイル名に拡張子が表示されない設定になっている。しかし、仕事やプライベートでWindows環境とファイルをやり取りする人は、必ずすべての拡張子を表示する設定に変更しておきたい。Windowsの場合、拡張子のないファイルだと開けないからだ。

拡張子の表示／非表示の違い

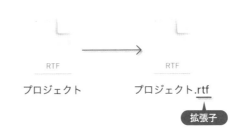

初期設定だと、すべてのファイル名拡張子は表示されない。拡張子を表示させると、右のファイル名のように「.（ピリオド）」のあとに文字列が表示される。

拡張子を表示するための設定

拡張子を表示するには、Finderのアプリメニューから「Finder」→「設定」を開き、「詳細」画面にある「すべてのファイル名拡張子を表示」をオンにしよう。

POINT　macOSは拡張子なしでもファイルを開ける

macOSでは、拡張子なしのファイルでも適切なアプリで開くことができる。これはファイル内にファイル形式の情報を埋め込むようにしているからだ。なお、Windowsで作成されたファイルは、ファイル名に拡張子があれば開くことが可能だ。

クイックルックでファイルの内容をチェックする

　ファイルを選択した状態で「スペース」キーを押すと、クイックルック機能が起動し、そのファイルの内容が表示される。本機能は画像や動画、オフィスファイル、PDFなど、さまざまなファイル形式に対応。サッと内容を確認したいときに使うと便利だ。

選択したファイルの内容がクイックルック機能で表示される。内容が表示された状態でカーソルキーの上下左右を押せば、同じフォルダ内のファイルを次々と閲覧可能だ

ファイルを選択して「スペース」キーを押せばクイックルックが起動して、ファイルの内容が表示される。

デスクトップのファイルを整理する

Finderのアプリメニューから「表示」→「表示オプションを表示」を選ぶと、上の表示オプション画面が表示される。デスクトップをクリックすればデスクトップの設定に切り替え可能だ。「並べ替え」や「表示順序」などを好きな状態に変えておこう。なお、表示順序を「なし」および「グリッドに沿う」以外にすると、アイコンはドラッグ&ドロップで並べ替えできなくなり、常にその設定の並び順で表示される。また、一番下の「アイコンプレビューを表示」にチェックを入れると、ファイルの内容がアイコンで判別しやすくなる

デスクトップのアイコンを自動的に整理する

デスクトップ上のアイコンは、ドラッグ&ドロップで自由に移動することが可能だ。アイコンを「種類」や「追加日」などの条件で自動的に並べ替えたい場合は、デスクトップの表示オプションから、「並べ替え」と「表示順序」の設定を変えてみよう。グリッドに沿わせた配置設定も行える。

アイコンの並びを自動でグリッドに沿わせる

デスクトップのファイルやフォルダを手動で並べ変えつつ、アイコンの位置は自動で一定間隔のグリッドに沿わせたい場合は、表示オプションの「並べ替え」を「なし」に、「表示順序」を「グリッドに沿う」にしておくのがオススメだ。

アイコンの大きさとグリッド間隔を調整する

デスクトップの表示オプションにある「アイコンサイズ」と「グリッド間隔」を調整して、アイコンを見やすい状態に設定しておくといい。

アイコンの配置を整頓する

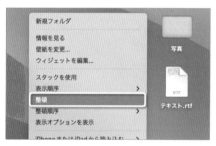

デスクトップを右クリックして「整頓」を選ぶと、表示オプションで設定したグリッド間隔でアイコンが整頓される。表示順序や整頓順序（右参照）もここから設定可能だ。

指定した順番で整頓したいときは「整列順序」を実行する

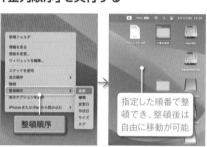

右クリックから選べる「整頓順序」は、指定した順番でアイコンを整頓させる機能だ。表示順序とは異なり、整頓後は自由に項目をドラッグして移動できる。

スタック表示で複数の項目を種類ごとにまとめる

デスクトップを右クリックして「スタックを使用」を有効にすると、アイコンがスタック表示に切り替わる。さらにデスクトップを右クリックして「スタックのグループ分け」で「種類」を選べば、ファイルの種類でグループ分けされ、すっきりまとめて表示してくれるのだ。デスクトップにファイルが散乱していて、整理するのが面倒な時に使うと便利。

POINT　ファイルやフォルダの情報を見る

ファイルやフォルダのサイズや作成日などの情報を素早く確認したい場合は、アイコンを右クリック→「情報を見る」（または「commmand」＋「I」キー）で情報ウインドウを表示しよう。ここで項目のサイズ、作成日、変更日などを確認することができる。

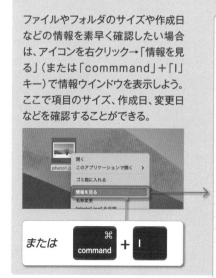

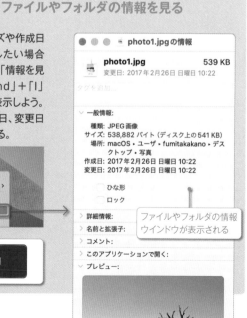

Finderウインドウのファイルを整理する

Finderウインドウの表示オプションを設定する

Finderウインドウもデスクトップと同じように表示オプションがあり、アイコンを自動的に並べ替えたり、アイコンの表示サイズを変更したりなどの設定が可能だ。なお、表示オプションの設定項目は、Finderウインドウの表示形式によって切り替わるようになっている点に注意しよう。

1 Finderウインドウを開いた状態で「表示プションを表示」する

Finderウインドウを開いた状態で、Finderのアプリメニューから「表示」→「表示オプションを表示」を選択。これで以下のような表示オプション画面が表示される。

2 Finderウインドウの表示形式を切り替えよう

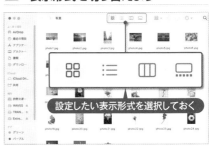

表示オプションの設定項目は、現在選択しているFinderウインドウの表示形式（アイコンやリストなど）によって変わる。設定したい表示形式に切り替えておこう。

グループ分けと表示順序について

「グループ分け」を設定すると、ファイルの種類や作成日といったグループごとにファイルの表示を行うことができる（以下画像参照）。「表示順序」は、ファイルをどの順番で並べるかの設定だ。アイコン表示の場合は、「グループ分け」を「なし」にして、「表示順序」を「グリッドに沿う」にしておくのがオススメ。

アイコン表示の表示オプション

リスト表示の表示オプション

すべてのFinderウインドウで同じ設定を使う

設定を変更して「デフォルトとして使用」ボタンをクリックすると、その設定が現在選択している表示形式のデフォルト設定となる。すべてのFinderウインドウで同じ設定を使いたいときに利用しよう。また、「option」キーを押すとボタンが「デフォルトに戻す」に変化（以下画像参照）し、変更した設定をデフォルトの状態に戻すことが可能だ。なお、このデフォルト設定は「常に○○○表示で開く」の設定項目には影響しない。

カラム表示の表示オプション

ギャラリー表示の表示オプション

特定のフォルダの表示形式を固定する

Finderウインドウでは、最後に設定した表示形式が維持され、ほかのフォルダやドライブを開いたときにも同じ表示形式で表示されるのが基本だ。ただし、表示オプションの「常に○○○表示で開く」にチェックを入れると、そのフォルダやドライブは、現在選択している表示形式で常に表示されるようになる。

POINT
右クリックから各種順序を設定する
Finderウインドウ内の何もないところを右クリックすれば「グループを使用」や「表示順序」「整頓順序」などを素早く設定することが可能だ。うまく使いこなそう。

4つの表示形式ごとの表示オプション画面を並べてみた。デスクトップの表示オプションと同じような項目も多いので、前ページを参考にしつつ設定してみよう。

MacBookのキーボードを使いこなそう
キーボードのキーの名前と役割を覚える

キーボード上に並んでいるたくさんのキー。MacBookを使いこなすには、これらのキーの機能を大まかに理解しておく必要がある。Mac用のキーボードは独自のキーが多いので、Windowsから乗り換えたユーザーも要チェックだ。

各種キーの位置や機能を知っておこう

　MacBookで採用されているキーボードには、大きくわけて2種類ある。ひとつは、現行の最新MacBook AirおよびProで採用されている「物理ファンクションキー搭載キーボード」、もうひとつは旧13インチMacBook Pro（2022年モデル）などで採用されている「Touch Bar搭載キーボード」だ。基本的には物理ファンクションキーとTouch Barのどちらが搭載されているかの違いだけで、あとのキー配列などはほぼ変わらない。Macを初めて使うという人は、ここで各キーボードに配置されている「shift」キーや「command」キーといった各種キーの名前と位置を大まかに覚えておこう。また、それぞれのキーの役割も把握しておくこと。

MacBook用キーボードにおける各種キーの名前と位置

ここでは、物理ファンクションキー搭載キーボードとTouch Bar搭載キーボードと2種類を掲載している。
それぞれのおもなキーの名前や位置について理解しておこう。

Touch Bar搭載キーボード

1 Touch Bar
Touch BarについてはP048で解説→

物理ファンクションキー搭載キーボード

2 escキー

3 文字キー
日本語入力についてはP036で解説→

4 tabキー

5 controlキー

6 shiftキー

7 caps lockキー

8 ファンクションキー

9 optionキー
10 commandキー
11 英数キー
12 スペースキー
13 かなキー

キーボードの各種キーとおもな役割について

1	**Touch Bar**	直接タッチして各種Appの操作などを行う
2	**escキー**	キャンセルなどの操作を行う
3	**文字キー**	文字を入力する際に使うキー
4	**tabキー**	文字入力時にタブを入力する
5	**controlキー**	右クリックを利用する際に使う
6	**shiftキー**	文字入力時に大文字入力に切り替える
7	**caps lockキー**	文字入力時、大文字入力に固定する
8	**ファンクションキー**	各キーに割り当てられた機能を呼び出す
9	**optionキー**	ショートカットキーなどで使う
10	**commandキー**	ショートカットキーなどで使う
11	**英数キー**	文字入力時に英数入力に切り替える
12	**スペースキー**	文字入力時にスペースを挿入する
13	**かなキー**	文字入力時にかな入力に切り替える
14	**fnキー**	ファンクションキーと組み合わせて利用する
15	**カーソルキー**	文字入力時のカーソル位置を移動する
16	**Touch IDボタン**	電源ボタンおよび指紋認証を行うボタン
17	**deleteキー**	文字入力時にカーソル前の文字を消す
18	**returnキー**	改行を入力したり、何か確定する場合に使う

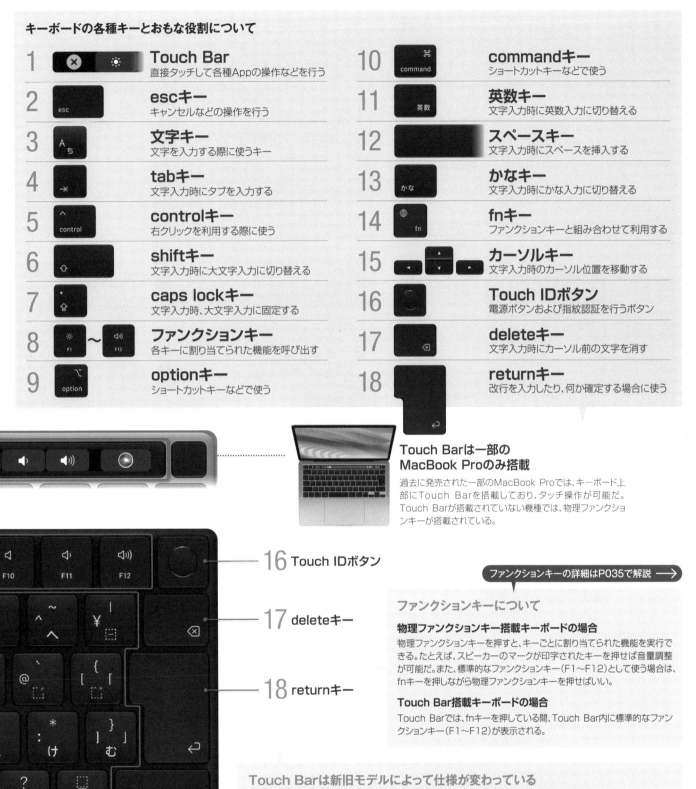

Touch Barは一部のMacBook Proのみ搭載

過去に発売された一部のMacBook Proでは、キーボード上部にTouch Barを搭載しており、タッチ操作が可能だ。Touch Barが搭載されていない機種では、物理ファンクションキーが搭載されている。

16　Touch IDボタン

17　deleteキー

18　returnキー

ファンクションキーの詳細はP035で解説 →

ファンクションキーについて

物理ファンクションキー搭載キーボードの場合

物理ファンクションキーを押すと、キーごとに割り当てられた機能を実行できる。たとえば、スピーカーのマークが印字されたキーを押せば音量調整が可能だ。また、標準的なファンクションキー(F1〜F12)として使う場合は、fnキーを押しながら物理ファンクションキーを押せばいい。

Touch Bar搭載キーボードの場合

Touch Barでは、fnキーを押している間、Touch Bar内に標準的なファンクションキー(F1〜F12)が表示される。

Touch Barは新旧モデルによって仕様が変わっている

旧Touch Bar(escキーがなく、Touch IDボタンも分かれていない)

Touch IDボタン

新Touch Bar(escキーとTouch IDボタンが独立)

Touch IDボタン

escキー

Macbook Pro 2016発売モデルなどの古い機種では、escキーがTouch Bar内に表示される仕様で、Touch IDボタンはTouch Barとつながっている。新しいTouch Barでは、escキーやTouch IDボタンがTouch Barから独立し、より使いやすくなっているのだ。

14
fnキー
Appleシリコン搭載機種では
地球儀キーとしても使う

15
カーソルキー

操作を劇的にスピードアップする必須ショートカット

ここではMacBookを効率的に操作するための基本的なショートカットを紹介する。
それぞれのショートカットがFinder上とアプリ利用中のどちらで使用できるかも表示している。

最初に覚えたい頻出ショートカット

Finder　App

保存する　⌘ command ＋ S

現在編集中の書類やデータを上書き保存する。はじめて保存する場合は、保存ダイアログが表示される。

Finder　App

取り消す　⌘ command ＋ Z

直前の操作を取り消す。「shift」+「command」+「Z」キーで取り消した操作をやり直すことも可能だ。

Finder　App

ウインドウを閉じる　⌘ command ＋ W

最前面のウインドウを閉じる。Finderウインドウやアプリのウインドウもこのショートカットで閉じることが可能。

Finder　App

コピー　⌘ command ＋ C

選択している項目やデータをクリップボードにコピーする。Finder内のファイルに対しても使える。

Finder　App

ペースト（貼り付け）　⌘ command ＋ V

クリップボードの内容を現在操作しているアプリや書類に貼り付ける。Finder内のファイルに対しても使える。

Finder　App

カット（切り取り）　⌘ command ＋ X

選択している項目やデータを切り取って、クリップボードにコピーする。Finder内のファイルに対しても使える。

Finder　App

すべてを選択　⌘ command ＋ A

すべての項目を選択する。開いているウインドウ内の全項目や書類の全内容を選択したいときに使う。

Finder　App

新規作成する　⌘ command ＋ N

Finderだと新規Finderウインドウを開く。一般的なアプリだと、書類や項目を新規作成する操作となる。

Finder　App

終了する　⌘ command ＋ Q

現在起動しているアプリを終了する。「shift」+「command」+「Q」キーでログアウトの操作もできる。

トラックパッドと組み合わせるショートカット

RTF

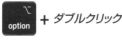
プロジェクト ＋

ここでは、クリックやドラッグ操作を組み合わせて使うショートカットを紹介。これもよく使うので覚えておこう。

Finder　App

コンテキストメニュー

^ control ＋ クリック

クリックした場所に応じたコンテキストメニューを表示する（右クリックと同じ）。

Finder　App

複数の項目を選択

⌘ command ＋ クリック

ファイルやフォルダを「command」+クリックすることで複数同時に選択できる。

Finder　App

複数の項目を連続選択

 shift ＋ クリック

リストやカラム表示で、ひとつ前の選択項目からの複数項目を一括選択する。

Finder

フォルダを別のタブで開く

⌥ option ＋ ダブルクリック

フォルダを「option」+ダブルクリックで開くと、別のタブやウインドウで開ける。

Finder

エイリアスを作成

 option ＋ ⌘ command ＋ ドラッグ&ドロップ

ファイルやフォルダのエイリアス（ショートカット）を作成する。

Finder

項目を複製する

 option ＋ ドラッグ&ドロップ

「option」を押しながらファイルやフォルダをドラッグ&ドロップすると複製できる。

知っていると役立つショートカット

Finder
新規フォルダを作成

現在操作している場所に新規フォルダを作成する。デスクトップやFinderウィンドウを操作しているとき限定。

Finder
情報を見る

選択したファイルやフォルダの「情報を見る」画面を表示する。ファイルサイズなどの詳細情報を確認できる。

Finder
クイックルック

現在選択中の項目の内容をクイックルックでプレビューする。プレビュー中はカーソルキーで項目を切り替え可能。

Finder
項目をゴミ箱に移動する

現在Finderで選択しているファイルやフォルダをゴミ箱に移動する。「command」+「Z」で取り消しが可能。

Finder
複製する

選択している項目を複製する。コピー&ペーストの操作がひとつのショートカットでできるので覚えておこう。

Finder App
検索する

Finderウィンドウや各種アプリで、ファイルや文字の検索を行うための検索画面が表示される。

Finder App
アプリを切り替える

現在開いているアプリの一覧を表示して、上記ショートカットキーを押すごとにアプリを切り替えることができる。

Finder App
ウィンドウを切り替える

Finderやアプリで複数のウィンドウを開いているとき、アクティブにするウィンドウの切り替えを行う。

Finder App
ウインドウを最小化する

最前面のウインドウを最小化してDockにしまう。ウインドウを再表示するには、Dock内のウインドウをクリックする。

Finder App
強制終了する

「アプリケーションの強制終了」画面を表示する。アプリの動作が固まって強制終了したいときに使う。

Finder
デスクトップを表示

Finderウィンドウで「デスクトップ」を表示する。

POINT

メニューに表示されるショートカットの記号

各種メニューの右端には、その項目を実行するショートカットが表示されている。一部キーは以下のような特殊な記号で表示されるので覚えておこう。

よく使われるキーの記号

 commandキー　 shiftキー　 tabキー

 optionキー　 controlキー　 deleteキー

ファンクションキーも使えば操作をもっと効率化できる

物理ファンクションキーには、以下のように画面の明るさ調整や音量調整など、よく使う機能が割り当てられている。Touch Bar搭載機の場合は、これらの操作をTouch Barで操作可能だ。また、「fn」キーを押すと、これらのキーはF1〜F12の標準的なファンクションキーとしても使える。そのとき、F1〜F12に割り当てられた機能は、実行しているアプリや状況によって変わってくる。

F1／F2を押すと、画面の明るさを調整できる

物理ファンクションキーで画面の明るさを変えられる

F1やF2を押せば、即座に画面の明るさを調整することが可能だ。音量調整はF11とF12で行える。物理ファンクションキーのキートップには、それぞれの機能がアイコンで描かれているのでチェックしておこう。

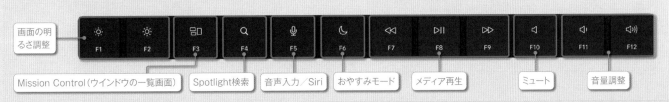

画面の明るさ調整 ― F1　F2

Mission Control（ウィンドウの一覧画面）　Spotlight検索　音声入力／Siri　おやすみモード　メディア再生　ミュート　音量調整

日本語入力や変換の基本操作を覚えよう

MacBookの日本語入力方法

ネットでの検索やメールの文章作成、ファイル名の入力など、文字を入力する
機会はとても多い。ここでMacBookのキーボード操作や日本語入力システムの
使い方などを学んで、スピーディに文字入力できるようにしておこう。

文字入力の基本操作を身に付けよう

MacBookで文字入力する際、英数字を入力したいときは「英数」キー、日本語を入力したいときは「かな」キーを押してからキーボード入力するのが基本だ。また、macOSの日本語入力システムは、「ライブ変換」とい

う機能により、文字入力中にリアルタイムに変換および確定してくれるのが特徴。変換候補を選んで確定する、という従来の日本語入力時にあった作業がほとんど必要なくなるので、使いこなせばスピーディな文字入力が可能となる。ここでは、文字入力で覚えておきたい基本操作や設定方法を紹介していく。身に付けて文字入力のスキルをアップさせよう。

MacBookにおける日本語入力の基本

リアルタイムに変換してくれる「ライブ変換」機能

「ライブ変換」では、日本語を入力していくと自動的に予測変換が実行されていく。いちいち変換する手間が必要なく、変換精度もかなり高いのでスピーディに文字入力ができる。

日本語を入力するとライブ変換が行われるので、「returnキー」で確定させていこう。変換候補を選ぶ手間がほとんどないので便利。単語で細かく変換しようとせず、ある程度まとまった文章で変換させると誤変換しにくい。

「英数」と「かな」で入力モードを切り替える

文字入力時には、入力したい文字の種類に応じて「英字」や「ひらがな」などの入力モードをあらかじめ選んでおこう。キーボードの「英数」キーと「かな」キーで切り替えが可能だ。

入力モードを変更すると、カーソル位置に「A(英字)」や「あ(ひらがな)」など現在の入力モードが表示される。

キーボードで入力モードを切り替えられる

「英数」キーを押せば英字入力モード、「かな」キーを押せばひらがな入力モードになる。システム設定のキーボード設定でカタカナ入力を有効にしてあれば(下記事参照)、「shift」+「かな」キーでカタカナ入力も可能だ。

ステータスメニューからも切り替えが可能

メニューバーの右上には、現在の入力モードがアイコン表示される。クリックするとメニューが表示され、直接入力モードを選ぶことが可能だ。また、文字入力に関する設定などもここから行える。

キーボード設定で入力ソースの設定を行う

カタカナを入力したいとき、多くの場合はライブ変換で自動的に変換される。とはいえ、最初からカタカナで入力したいという場合は、カタカナの入力モードを有効にしておくといい。システム設定の「キーボード」にある「入力ソース」の「編集」画面で入力モードの設定をしておこう。また、macOSでは、日本語入力にローマ字入力を使うか、かな入力を使うかを選択することができる。標準設定ではローマ字入力だ。かな入力に変えたい場合は、同様に入力ソースの編集画面でかな入力を追加しておこう。

1 日本語のカタカナ入力を有効にする

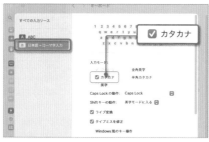

システム設定にある「キーボード」から「入力ソース」の「編集」ボタンをクリック。画面左側の入力ソース一覧から「日本語-○○○入力」をタップしたら、「カタカナ」にチェックを入れておこう。これでカタカナの入力モードが使えるようになる。

2 ローマ字入力ではなくかな入力を使う場合

ローマ字入力ではなく、かな入力を使いたい場合は、入力ソースの編集画面で「+」をクリック。「日本語-かな入力」を追加しておこう。ローマ字入力が不要なら、「日本語-ローマ字入力」を選択した状態で「-」をクリックすれば、その入力ソースを削除できる。

日本語を入力する基本操作

日本語を入力する場合は、まず「かな」を押してかな入力モードに
切り替えよう。あとは、以下のような操作で文字を入力して変換していけばいい。

日本語入力時のキーボード操作

ローマ字入力の場合

ローマ字入力の基本

ローマ字入力時にキーボードを押すと、キートップの左側に印字された文字が入力される。「かな」キーを押して上のように入力すれば「文字」と変換可能だ。

句読点、中黒（·）、鉤括弧を入力する

句読点、中黒（·）、鉤括弧を入力する場合は、上で示したキーを押そう。これらのキーは、日本語入力時のみ、キートップの右側に印字された文字が入力できる。

記号を入力する際はshiftキーを押す

ありがとう！

「shift」を押しながらキーを押すと、キートップの上側に印字された文字が入力できる。「！」や「？」、「&」などの記号を入力する場合に使える。

濁音や促音、拗音などを入力する

一発退場っ

濁音や半濁音、促音、拗音などはローマ字のルールに則って入力する。なお、小さい「っ」や「ぁ」などを単体で入力したい場合は、「LTU」や「LA」のように「L」のあとに文字を入力するといい。

かな入力の場合

かな入力の基本

かな入力時にキーボードを押すと、キートップの下側に印字された文字が入力される。「かな」キーを押して上のように入力すれば「文字」と変換可能だ。

濁音、半濁音などを入力する

ガパオ

かな入力時に濁音、半濁音を入力するには、上で示したように通常の文字のあとに濁音／半濁音キーを押す。

shiftキーで句読点、促音などを入力

かな入力時に「shift」キーを押しながら文字キーを押すと、キートップの右側に印字された文字が入力できる。句読点、中黒（·）、鉤括弧、促音、拗音などが入力可能だ。

数字や記号を入力する

１２３！”#

かな入力時に「option」キーや「shift」キーと文字キーを組み合わせると、数字や記号を入力することが可能だ。

変換を確定するには returnキーを押す

ライブ変換が有効であれば、日本語を入力していくと順次変換および確定が行われていく。途中で変換を確定する場合は「return」キーを押そう。

スペースキーでほかの変換候補を表示

変換候補を表示したい場合はスペースキーを押す。スペースキーやカーソルキーで候補を選んで「return」キーで確定だ。変換中は、カーソルキー左右で変換する場所の移動、「shift」キー＋カーソルキー左右で変換する範囲の変更ができる。

deleteキーで 文字を削除する

カーソル前の1文字を削除する

カーソル後の1文字を削除する

間違えて入力した文字を消したいときは、「delete」キーを押せばいい。カーソル前の1文字を消すことができる。なお、「fn」＋「delete」キーでカーソル後の1文字を削除可能だ。

英字を入力する基本操作

英数字を入力する場合は、「英数」を押して英字入力モードに
切り替えておこう。あとは、以下のような操作で文字を入力していけばいい。

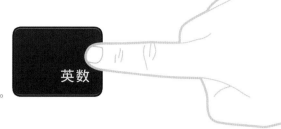

MacBookにおける英数字入力の基本

英字入力の基本

「英数」を押して英字入力モードした場合、キートップの左側に印字された文字が入力される。なお、英字入力では、リアルタイムにスペルチェックおよび予測変換などが実行され(これを「オートコレクト」機能と呼ぶ)、入力中に変換候補が表示されるのが特徴だ。

オートコレクト機能をオフにする場合

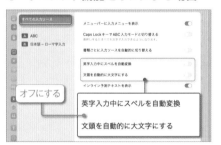

オートコレクト機能は、英語メインで使う人なら便利だが、日本語中心で使う人やプログラムを書く人には、逆に邪魔になることが多い。機能をオフにしておきたい場合は、Appleメニュー→「システム設定」→「キーボード」を開き、入力ソースの「編集」→「すべての入力ソース」を表示。上の2つの設定をオフにしておこう。

オートコレクト機能の使い方

英字入力中にオートコレクト機能が働いた場合、そのまま「スペース」キーや「return」キーを押す、または「.(ピリオド)」などの区切り文字を入力すれば、入力したものが自動修正される(候補が複数ある場合は、最初のものが選ばれる)。オートコレクトを適用しない場合は、候補が表示された状態で「esc」キーを押そう。

オートコレクトを取り消す

オートコレクトで修正された青線部分にカーソルを挿入すると、修正前の文字列が表示され、元の状態に戻せる。また、赤線のスペルミス部分も再修正が可能だ。

数字を入力する

数字を入力したい場合は、数字の描かれたキーをそのまま押せば入力される。

記号を入力する際はshiftキーを押す

「shift」キーを押しながらキーを押すと、キートップの上側に印字された文字が入力できる。「!」や「?」、「&」などの記号を入力する場合に使える。

特殊な記号を入力する

「option」キーを押しながらキーを押すと、キートップには描かれていない特殊な記号を入力できる。あまり使わないが、これも覚えておくとよい。

POINT

他社製の日本語入力システムをインストールして使う

macOSでは、標準の日本語入力システム以外にも、「Google日本語入力(無料)」や「ATOK(有料)」など他社製の日本語入力システムを別途インストールすることが可能だ。日本語入力システムは複数共存することができ、メニューバーから入力モードを選ぶことで切り替えができる。macOS標準の日本語入力システムに不満があれば、他社製のものも試してみよう。

他社製の日本語入力システムに切り替える

他社製の日本語入力システムを導入したら、上のようにメニューを表示。使いたい日本語入力システムの入力モードに切り替えよう。

現在インストールしている日本語入力システムを確認する

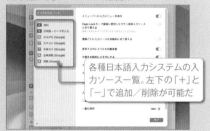

「システム設定」→「キーボード」→入力ソースの「編集」で、現在導入されている日本語入力システム(入力ソース)が確認できる。

覚えておきたい文字入力の操作&設定

ここでは、半角カタカナの入力方法やユーザ辞書の設定方法などを紹介しておく。
自分の思った通りに入力できるように、文字入力の設定を調整しておこう。

カタカナに変換する

日本語入力中に自動変換が適用されている部分（アンダーラインが付いている場所）をすべてカタカナに変換したい場合は、「control」+「K」キーを押せばいい。

ライブ変換をオフにする

日本語入力時のライブ変換機能が使いにくいという人は、ライブ変換をオフにしよう。入力モードを「ひらがな」にした状態で、ステータスメニューから「ライブ変換」をオフに切り替えればいい。

Windows風のキー操作にする

「システム設定」→「キーボード」→入力ソースの「編集」→「日本語-○○○入力」→「Windows風のキー操作」をオンにすると、日本語入力時の操作がWindows風になる。macOSでは文字変換の候補を選ぶ際、returnキーを2回押さないと確定しないが、これを1回で確定することが可能だ。また、ファンクションキーでの半角カタカナ変換（F8）などもできるようになる。

半角カタカナを入力する

半角カタカナを入力したい場合は、「システム設定」の「キーボード」を表示し、入力ソースの「編集」→「日本語-○○○入力」をクリックし、「半角カタカナ」にチェックを入れよう。あとは、メニューバーから入力モードを「半角カタカナ」に切り替えて文字入力すればいい。

ユーザ辞書を登録する

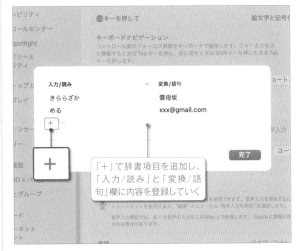

「＋」で辞書項目を追加し、「入力/読み」と「変換/語句」欄に内容を登録していく

変換しにくい用語や名称などがあれば、ユーザ辞書に登録しておこう。ユーザ辞書の編集は、まず「システム設定」→「キーボード」から「ユーザ辞書」ボタンをクリック。左下にある「+」ボタンを押して辞書の項目を追加すればいい。「入力/読み」欄によみ、「変換/語句」欄に変換したい文字列を登録しておこう。たとえば、入力/読み欄に「める」、変換/語句欄によく使うメールアドレスを登録すれば、「める」と入力するだけでそのメールアドレスに変換されるようになる。なお、iCloud Driveが有効であれば、ユーザ辞書の内容を同じApple IDでサインインしたiPhoneやiPadと同期可能だ。

文字を再変換する

確定した文字列を選択して、「かな」キーを2回押すと再変換ができるので覚えておこう。

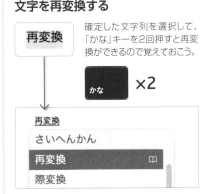

変換候補の書体を変更する

フォントとフォントサイズを変更できる

日本語入力時に表示される候補の書体は、標準設定だと「ヒラギノ角ゴシック」の16サイズが使われている。これを変更したい場合は、「システム設定」→「キーボード」→入力ソースの「編集」→「日本語-○○○入力」にある「候補表示:」のフォント設定とフォントサイズ設定を変えればいい。

各種アプリを使いこなすための基礎知識
アプリの起動から終了までの基本操作を覚える

ここでは、アプリを開く、アプリを終了する、ファイルを開くなど、
各種アプリケーションを扱う上で必要となる重要な基本操作を解説。
アプリのランチャーであるDockやLaunchpadの使い方もしっかり身に付けておこう。

MacBookでアプリを使うために

MacBookで文章を作成したり、Webサイトを閲覧したりなど、さまざまな作業を実現するのが「アプリ(アプリケーション)」だ。ここでは、アプリの起動や終了方法など、基本的な操作について紹介していく。まず覚えておきたいのはアプリを起動する方法だ。アプリを起動するには、「Dock」か「Launchpad」内にあるアプリのアイコンをクリックしよう。これでアプリが起動し、デスクトップにアプリウインドウが表示される。そのほかにも、アプリを開く方法はいろいろあるので確認しておこう。Dockのカスタマイズ方法やファイルの開き方の解説も要チェックだ。

アプリの基本的な起動方法

Dockからアプリを起動する

Dockに並んでいるアプリアイコンをクリックすれば、そのアプリが起動する。Dockは、頻繁に使うアプリを登録しておく場所なので、自分でカスタマイズして使いやすくしておこう。

カレンダー

起動したいアプリをクリック

Launchpadからアプリを起動する

Dockにある「Launchpad」を起動すると、現在MacBookにインストールされているすべてのアプリが表示される(初期状態の場合)。ここから好きなアプリが起動可能だ。

起動したいアプリをクリック

複数のページがある場合は、画面を左右にスクロールして切り替える

DockにLaunchpadがない場合は?

DockにLaunchpadが表示されていない場合は、アプリケーションフォルダ(下のPOINT参照)を開き、Launchpadの本体をDockに追加しておこう。Dockへのアプリ追加方法は次ページで解説している。

⬗POINT アプリの本体は「アプリケーションフォルダ」にある

Finderのアプリメニューから「移動」→「アプリケーション」を選択すると、「アプリケーション」フォルダが開く。macOSでは、ほぼすべてのアプリがこのフォルダにインストールされる。DockやLaunchpadに表示されているアプリの本体はここにあるのだ。

アプリケーションフォルダ

Dockを使いやすくカスタマイズしよう

Dockの基本構造について

Dockの初期状態では、以下のような構成になっている。左側から順にFinderや各種アプリなどが配置され、右側には最近使ったアプリやDockにしまったウインドウ、ゴミ箱などが表示される。

Finder　Launchpad　各種アプリ　App Store　システム設定　最近使ったアプリ　ダウンロードフォルダ　Dockにしまったウインドウ　ゴミ箱

よく使うアプリをDockに配置しよう

Dockにアプリを登録したい場合は、アプリケーションフォルダなどからアプリをドラッグ&ドロップすればいい。また、Dockからアプリを削除する場合は、アプリアイコンをDock外へドラッグ&ドロップすればOKだ。

アプリをDockに追加する

Dock内にドラッグ&ドロップ

Dockにアプリを追加したい場合は、アプリをDock内にドラッグ&ドロップすればいい。「アプリケーション」フォルダから、よく使うアプリを登録しておこう。

Dockのアプリを削除する

Dockからアプリを削除しても、アプリ本体は消えない

削除

Dockから削除したいアプリがある場合は、アプリアイコンをDock外(デスクトップ中央辺り)にドラッグし、「削除」と表示されたらドロップすればいい。

Dockのアプリを並べ変える

ドラッグ&ドロップで並べ替え

Dock内のアイコンはドラッグ&ドロップで並べ替えができる。使いやすい順番に並べ替えておこう。なお、Finderとゴミ箱のアイコンはDockの両脇に位置が固定されており、並べ替えや削除が行えない。

Dockの表示スタイルを設定

Appleメニュー→「システム設定」→「デスクトップとDock」で、Dockの表示設定が可能だ。サイズや拡大表示などの各種設定を好みに応じて変えておこう(P021で詳しく紹介)。

Launchpadを使いやすくカスタマイズしよう

アプリの整理方法を知っておこう

Launchpadでは、新しいアプリをインストールすると、そのアイコンが逐一登録されていくようになっている。アプリの数が多くなってくると、どこにどのアプリがあるかがわかりにくくなるので、フォルダ分けやページ分けなどで整理していこう。

アプリをフォルダ分けする

アプリアイコン同士を重ね合わせてフォルダ作成

Launchpadのアプリをドラッグして別のアプリに重ねてドロップすると、フォルダが作成される。わかりやすいフォルダ名を付けて整理しておこう。

アプリを別のページに移動する

ページ端にドラッグ

アプリアイコンを画面の右端にドラッグすると、別のページにスクロールして切り替わる。複数のページを作って、アプリを分類しておくと使いやすくなる。

アプリの追加と削除方法

Launchpadには、App Storeからダウンロードしたアプリ、またはインストーラーを使ってFinderの「アプリケーション」フォルダにインストールされたアプリが自動的に追加されるようになっている。Launchpadに追加されていないアプリがある場合は、アプリをアプリケーションフォルダ内にドラッグ&ドロップすればいい。また、Launchpadからアプリを削除する場合は、Launchpadのアプリアイコンを長押ししよう。アイコンが揺れ始めたら、削除したいアプリの「×」マークをクリック。これでアプリがLaunchpadだけでなく、macOSからも削除される。なお、「×」マークが表示されないアプリは削除できない。

起動したアプリの基本操作と終了方法

アプリの起動から終了までの流れ

それでは、実際にアプリを起動してみよう。アプリを起動すると、デスクトップ上にアプリウインドウが表示される。アプリの操作は、基本的にこのアプリウインドウとアプリメニューで行う。アプリを終了する場合は、アプリメニューから「○○○（アプリ名）を終了」を選んで終了させておこう。

1 アプリをDock などから起動する

アプリの起動から終了までの流れを紹介しておこう。まず、Dockなどからアプリを起動する。ここではWebブラウザアプリの「Safari」を起動してみる。

2 アプリウインドウが 表示される

アプリ（Safari）が起動し、デスクトップ上にアプリウインドウが表示された。上は、キーワード検索でAppleの公式サイトを検索して表示させた状態だ。

3 アプリメニューから 終了する

アプリを終了する場合は、アプリメニューのアプリ名（ここでは「Safari」）をクリックして、「○○○（アプリ名）を終了」を選択する。アプリウインドウを閉じただけではアプリが終了しないので注意（下記事参照）。

アプリウインドウをDockにしまう

アプリウインドウをDockにしまうことができる

しまうボタンをクリック

ウインドウを一時的に隠したいときは、ウインドウ左上にある黄色のボタンをクリックしよう。

ウインドウを元に戻す

ウインドウをDockから出す場合は、しまったウインドウをクリックすればいい。

ウインドウを閉じても アプリは終了していない

Windowsの場合、アプリウインドウを閉じるとアプリ自体も終了するが、macOSの場合、アプリウインドウを閉じてもアプリ自体は終了しない。ちなみに、Dockのアイコン下にインジケーター（黒丸）が表示されているアプリは、まだ起動中だ。

ウインドウを閉じても……

アプリ自体は起動している

POINT

操作しているアプリにより アプリメニューの 内容が切り替わる

macOSでは、アプリウインドウを操作（最前面に表示）すると、アプリメニューの内容がそのアプリのものに切り替わる仕組みだ。Windowsにはない仕様なので、Windowsからの乗り換えユーザーは、この仕組みに慣れておこう。

macOSのアプリメニュー

アプリメニュー

macOSでは、画面の最上部にアプリメニューが表示される。現在操作しているアプリごとにアプリメニューの内容が切り替わる仕組みだ。

Windowsのメニューバー

メニューバー

Windowsでは、アプリの各ウインドウ上部にメニューバーが表示される。アプリの操作をすべてアプリウインドウ内で完結できるのが特徴だ。

ファイルからアプリを起動する方法

ファイルの開き方には いろいろ方法がある

ファイルをアプリで開きたい場合は、基本的にそのファイルをダブルクリックすればいい。これでファイルに関連付けられたアプリが起動する。なお、そのファイルをダブルクリックした際に開くアプリは「情報を見る」ウインドウで変更することが可能なので覚えておこう。

ファイルを開くと関連付けられたアプリで起動する

ファイルをダブルクリックすると、関連付けられたアプリが起動し、ファイルの内容が開く。

開くアプリを設定する

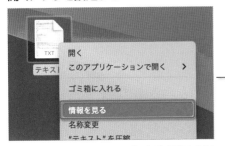

ファイルをダブルクリックで開く際に起動するアプリは変更することが可能だ。ファイルを右クリックして「情報を見る」から「このアプリケーションで開く」のアプリを変更しよう。このファイル限定で開くアプリが変わる。また、「すべてを変更」をクリックすると、そのファイル形式全体がそのアプリに関連付けられる。

アプリアイコンにファイルをドラッグ&ドロップ

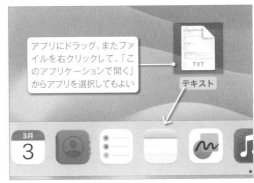

ファイルをアプリアイコンにドラッグ&ドロップすると、そのアプリでファイルを開ける。関連付けられていないアプリでファイルを開きたいときに使ってみよう。

そのほかのファイルを開き方

アプリからファイルを開く方法

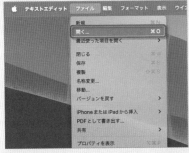

すでにアプリを起動している場合は、アプリメニューにある「ファイル」→「開く」から、開くファイルを指定することが可能だ。

ファイルを選択して開く方法

また、ファイルを選択した状態で「command」+「O」キーのキーボードショートカットを押すと、そのファイルを開くことができるので覚えておこう。

POINT　アプリをフルスクリーンで起動する

アプリウインドウ左上の緑色のボタンを押すと、アプリがフルスクリーン表示に切り替わる。フルスクリーン時は画面最上部のメニューバーも消えるが、マウスポインタを画面最上部に移動すると表示される。また、フルスクリーンを解除したい場合は、画面左上にマウスポインタを移動させ、再び緑色のボタンを押せばいい。

アプリの導入と管理方法を理解しておこう

アプリのインストールとアンインストールの操作手順

macOS用アプリには、仕事に便利なツールや楽しいゲームなど多種多様なアプリが配信されている。ここでは、各種アプリのインストール方法やアンインストール方法、アップデート方法などを詳しく解説していく。

Mac用アプリには2つの種類がある

macOSには、「App Store」と呼ばれる公式のアプリストアが用意されている。スマホやタブレットのアプリストアと同じように、キーワード検索やカテゴリ一覧などから目的のアプリを探し、気になったものをすぐにダウンロードしてインストールすることが可能だ。また、App Storeを介さないアプリも数多く存在しており、その場合はインストール方法がアプリによって異なる。なお、Appleシリコンを搭載したMacでは、アプリインストール時に「Rosetta 2」のインストール画面が表示されることがある。これに関してはP047で解説しているのでチェックしよう。

App Storeからアプリをインストールする

App Storeで無料のアプリを入手する

まずは、「App Store」でアプリをインストールする方法を紹介しておこう。App Storeは、AppleメニューやDockから呼び出すことができる。初めてApp Storeを使う人は、無料のアプリをインストールして、使い方の流れを把握しておくといい。

1 Appleメニューから「App Store」を起動する

App Storeは、Appleメニューにある「App Store」から起動できる。なお、DockやLaunchpadなどからApp Storeを起動してもOKだ。

2 App Storeの画面で目的のアプリを探してみよう

これがApp Storeの画面だ

検索欄
アプリをキーワード検索できる。アプリ名や機能などで検索するといい。英語でも検索すると、海外製の優秀なアプリも見つけられる（キーワード例:「タスク管理」、「task」、「to do」）

サイドバー
やりたいことやカテゴリなどからアプリが探せるメニュー。なお、「Arcade」は月額600円で200本以上の最新ゲームが遊び放題になるサービスだ

これでApp Storeが起動する。画面左側にあるキーワード検索欄やサイドバーから目的のアプリを探していこう。

3 インストールしたいアプリを探して「入手」をクリック

無料アプリは「入手」ボタンになる。有料アプリはボタンに価格が表示される

App Storeで目的のアプリを見つけたら、内容紹介や評価などをチェック。無料アプリの場合は、「入手」→「インストール」でダウンロードが始まる。

4 Apple IDにサインインする

場合によっては、アプリのダウンロード前にApple IDへのサインインが求められる。上の画面が表示されたらApple IDとパスワードを入力しておこう。

5 ダウンロードが完了するとLaunchpadに登録される

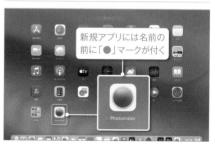

新規アプリには名前の前に「●」マークが付く

アプリのダウンロードとインストールが完了すると、Launchpadにアプリが登録される。起動したいときはここから起動しよう。

App Storeから有料アプリを購入してインストールする

App Storeで有料のアプリを入手する

App Storeで有料アプリを購入するには、アプリの価格ボタンを押して認証を済ませればいい。ダウンロードが完了したら、あとはLaunchpadから起動しよう。なお、アプリを購入するには、あらかじめApple IDにクレジットカードなどの支払い情報を登録しておく必要がある。

1 インストールしたいアプリを探して価格ボタンをクリック

App Storeでボタンに価格が書かれているアプリは有料アプリだ。購入する場合は、価格ボタンをクリック→「アプリを購入」をクリックしよう。

2 認証を済ませてアプリを購入する

認証を済ませる

購入時はアカウントの認証が必要になる。Touch IDかパスワード入力で認証を済ませよう。認証後、「購入する」をクリックすればダウンロードが始まる。

App内課金について

「入手」もしくは価格ボタンの近くに「App内課金」と記載されたアプリは、アプリ内で課金要素があることを示している。多くの場合、課金することで新しい機能やコンテンツを追加することが可能だ。購入にはApple IDの支払い情報が使われるため、手軽に購入することができる。

POINT 支払い方法を追加しておく

App Storeで有料アプリを購入するには、Apple IDへの支払い情報登録が必要。App Store画面左下のユーザー名部分をクリックし、続けて画面右上の「アカウント設定」をクリック。アカウント情報画面で「お支払い情報を管理」を開き、クレジットカード情報などを登録しよう。

複数登録した場合は、一番上がデフォルトの支払い方法となる

「お支払い方法を追加」で支払い方法を追加しておこう。クレジットカード以外にも、スマホの利用料と合算して支払える「キャリア決済」やQRコード決済サービスの「PayPay」が利用可能だ（P065で解説）。

App Storeのアプリをアップデート／アンインストールする

アプリのメンテナンスを行っておこう

App Storeで公開されているアプリは、新機能の追加や不具合の修正などで新しいバージョンが配信されることがある。その際、アプリのアップデートは自動もしくは手動で行うことが可能だ。また、使わなくなったアプリをアンインストールしたい場合は、Launchpadから削除すればいい。なお、有料アプリをアンインストールしても、再インストール時は無料で入手できるので安心してほしい。

アップデートがバッジで通知される

アップデートが配信されたアプリの数が、このようにApp Storeアプリにバッジ表示される。

アプリのアップデート

1 自動アップデートを有効にしておこう

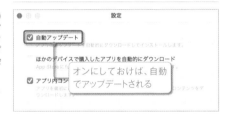

オンにしておけば、自動でアップデートされる

App Storeのアプリメニューから「App Store」→「設定」を表示したら、「自動アップデート」を有効にしておく。これで自動的にアプリがアップデートされる。

2 手動でアップデートする場合

App Storeの「アップデート」から手動アップデートが可能

手動でアップデートを行いたい場合は、自動アップデートを無効にして、App Storeアプリのサイドバーにある「アップデート」から行おう。

アプリのアンインストール

1 Launchpadで「×」をクリック

アプリをアンインストールしたい場合は、Launchpadを表示し、アプリアイコンを長押しする。アプリが揺れ始めたら、削除するアプリの「×」マークをクリックしよう。

2 「削除」をクリックしてアンインストール完了

上のような表示が出るので、アプリを削除して問題なければ「削除」をクリックしよう。これでアプリがMacからアンインストールされる。

App Store以外からアプリをインストールする

Safariでアプリを入手して
ダウンロードフォルダを開く

アプリは、App Store以外の場所（各種アプリメーカーのWebサイトなど）からでも入手できることがある。その場合、SafariなどのWebブラウザでダウンロードすることが多いので、操作方法を覚えておこう。また、アプリが配布される際のファイル形式も把握しておくこと。

1 アプリのファイルをSafariでダウンロードする

Dockのダウンロードフォルダをクリックして、「Finderで開く」でダウンロードフォルダが開く

Safariでダウンロードすると、ファイルがダウンロードフォルダに保存される

Safariで各種アプリメーカーの公式サイトや配布サイトにアクセスしたら、アプリのファイルを探してダウンロードしよう。ダウンロードしたファイルはダウンロードフォルダに保存される。ダウンロードフォルダはDockから開くことが可能だ。

2 アプリが配布される際のおもなファイル形式

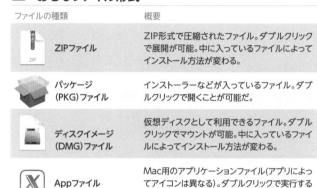

ファイルの種類	概要
ZIPファイル	ZIP形式で圧縮されたファイル。ダブルクリックで展開が可能。中に入っているファイルによってインストール方法が変わる。
パッケージ (PKG)ファイル	インストーラーなどが入っているファイル。ダブルクリックで開くことが可能だ。
ディスクイメージ (DMG)ファイル	仮想ディスクとして利用できるファイル。ダブルクリックでマウントが可能。中に入っているファイルによってインストール方法が変わる。
Appファイル	Mac用のアプリケーションファイル（アプリによってアイコンは異なる）。ダブルクリックで実行するか、アプリケーションフォルダにコピーして使う。

アプリが配布される際のファイル形式は、おもに上のようなものが使われる。それぞれインストール方法が違うが、多くの場合はダブルクリックして開けばいい。ファイルの種類ごとのインストール手順は下で解説しているのでチェックしよう。

ファイルの種類によって
インストール方法が変わる

Macでは、Appファイル（Windowsにおける EXEファイル形式のようなもの）がアプリ本体のファイル形式となるが、Appファイルのまま配布しているところは少ない。多くの場合は、ZIPファイルやパッケージファイル、ディスクイメージファイルなどで配布されている。それぞれのインストール手順を覚えておこう。

ZIPファイルの場合

ZIPファイルは、ダブルクリックして展開すればいい。中身が入ったフォルダが開くので、ファイルの種類に応じて引き続きインストール作業を行おう。

パッケージファイルの場合

ダブルクリックで開くとインストールできない場合、右クリック→「開く」から起動する

パッケージファイルは、ダブルクリックしてインストーラーを起動しよう。「キャンセル」ボタンしか表示されない場合は、右クリック→「開く」から起動すればいい。

ディスクイメージファイルの場合

ディスクイメージがマウントされる

ディスクイメージの中身が表示される

OnyX 4.5.5

入手したファイルがディスクイメージファイルだった場合は、DMGファイルをダブルクリックして開こう。すると、ディスクイメージがマウントされ、中身が表示される。中にはアプリケーションファイルが入っていることが多いので、引き続きインストール作業を行おう。

Appファイルの場合1

Appファイルはダブルクリックしてみよう

ダウンロードしたファイルや展開したファイルがAppファイルの場合は、ひとまずダブルクリックしてみよう。インストーラーが起動する場合もあれば、そのままアプリが起動する場合もある。

Appファイルの場合2

Drag to install OnyX in your Applications folder

アプリケーションフォルダに入れる

アプリによっては、Appファイルを「アプリケーション」フォルダ（P040参照）に直接ドラッグ&ドロップしてインストールするものもある。多くの場合は、フォルダに説明が書かれているので、それに従うこと。

開発元が未確認の
アプリを開く

アプリを開こうとしたとき、「〇〇〇は、開発元が未確認のため開けません」と表示されて実行できないときがある。この場合は、アプリのAppファイルを直接右クリックして「開く」を選び、表示されたダイアログで「開く」を実行すれば起動できる。

Appファイルを右クリックして「開く」を選択してみよう。なお、Launchpad上では右クリックができないので、アプリケーションフォルダなどからアプリ本体のファイルを探そう

App Store以外から入手したアプリのアップデートとアンインストール

アプリを手動で アップデートする方法

App Store以外から入手したアプリをアップデートするには、ほとんどの場合、手動でのアップデートとなる。アプリの公式サイトで最新版が配信されていないか確認し、必要に応じて最新版にアップデートしておこう。なお、アプリによっては、最新版のチェックや自動アップデート機能を搭載しているものもある。アプリメニューで「最新版をチェック」や「Check for Update」といったメニュー項目がないか確認しておこう。

手動でアプリをアップデートする場合

1 アプリのバージョンを調べ 手動で最新版を入手する方法

多くの場合、アプリメニューから「○○○について」または「About ○○○」を開くと、アプリのバージョンがわかる。アプリの公式サイトをチェックして、最新版があればインストーラーをダウンロードしておこう。

2 アプリ独自の アップデート機能を使う方法

アプリのアップデート機能を使えば手軽にアップデートが行える

アプリによっては、アプリ内にアップデート機能が搭載されていることがある。「最新版をチェック」や「Check for Update」、「Update ○○○」のようなメニュー項目がないか探してみよう。

不要なアプリを アンインストールする方法

App Store以外で入手したアプリは、P045で紹介したアンインストール方法（Launchpadからの削除）では削除できないことが多い。もし、アプリ公式のアンインストーラーかアンインストール機能がある場合は、それを使って削除しよう。アンインストーラーが付属していないアプリの場合は、Appファイル自体をゴミ箱に入れて削除してしまえばいい。ただし、アプリの設定ファイルなどは残ったままとなる。完全に消したい場合は、「App Cleaner」などのアンインストールアプリを使おう（P115参照）。

Appファイルを削除してアンインストール

公式のアンインストール機能が ある場合はそれを使って削除する

アプリに公式のアンインストーラーやアンインストール機能が用意されている場合は、それを使って削除するのが一番確実だ。

アンインストーラーがない場合は Appファイルを直接削除する

不要なアプリのAppファイルをゴミ箱に捨てればアンインストールできる

アンインストール機能がないアプリの場合は、Appファイルを直接ゴミ箱に捨ててしまえばいい。Windowsと違い、Macはこれでもアンインストールが可能だ。

App Store以外で 入手したアプリの 注意点

App Store以外で入手したアプリを実行するには、「システム設定」の「プライバシーとセキュリティ」で「App Storeと確認済みの開発元からのアプリを許可」にしておこう。また、アプリによっては起動オプションでセキュリティポリシーの変更が必要なものがある。セキュリティポリシーを変更するには、mac起動時に電源ボタンを押し続けて「オプション」→「続ける」を選択。macOS 復旧の画面で設定するハードディスクを選んでログインしたら、「ユーティリティ」→「起動セキュリティユーティリティ」から設定するシステムを選び、「低セキュリティ」→「確認済みの開発元から提供された～」を選択して「OK」を押そう。

⊂◯POINT　Appleシリコンを搭載したMacBookで旧世代のアプリを使うには？

2020年以降に発売されたMacBookでは、M1やM2、M3といったAppleが開発したAppleシリコンが搭載されている（一部除く）。旧Macで搭載されていたIntelプロセッサとはまったく違うものなので、Intelプロセッサ用に開発されていた旧世代のアプリはそのままだと使えない。

そこでAppleシリコンを搭載したMacBookでは、互換性を保つために「Rosetta 2」と呼ばれる変換ソフトウエアが用意されている。あらかじめインストールしておけば、Intelプロセッサ用に開発された古いアプリもAppleシリコンを搭載したMacBookで動作するようになる。

Appleシリコンを搭載したMacBookで、Intelプロセッサ用に開発されたアプリをインストールしようすると、初回のみRosetta 2をインストールするかどうか聞かれることがある。一度インストールしておけば、あとはバックグラウンドで自動的に動作してくれる。

インストール済みのアプリがAppleシリコンに対応しているかどうか調べる「iMobie M1 App Checker」というアプリもある。

macOSに組み込まれている多彩なツール

macOSならではの便利な機能を利用しよう

macOSには他にも役立つ機能がたくさん用意されている。
Touch Barや通知センター、Siriといった
macOS特有の便利機能をしっかり使いこなしてみよう。

一段と操作がはかどるお役立ち機能たち

ここではmacOSならではの機能をピックアップして紹介する。いくつかの機能はiPhoneやiPadにも搭載されているものだ。2022年以前の一部のMacBook Proに搭載されている「Touch Bar」。タッチ操作が可能なこのバーは、使用状況に応じて最適なボタンが表示されるのが特徴だ。自分で使いやすいようにカスタマイズもで

き、意識して使いこなすと作業効率がアップする。また、各種通知やウィジェットを表示する「通知センター」も要注目。ウィジェットは、デスクトップに配置することも可能になった。iPhoneでもお馴染みの音声アシスタント「Siri」もますます賢くなっている。その他、コントロールセンターやSpotlight、スクリーンショット、集中モード、クイックメモ、マルチタスク機能の「ステージマネージャ」といった機能をひと通り試してみよう。

Touch Bar 機能が変化するタッチディスプレイ ※2022年以前の一部モデルに搭載

Appコントロール / Control Strip

タッチ操作で直感的に扱えるTouch Bar

一部のMacBook Proに搭載された「Touch Bar」は、状況に応じてさまざまなボタンやスライダーが表示され、タッチ操作を行える機能だ。右側のControl Strip部分でシステムの音量を調整したり、Siriを利用したりなどの操作を実行できるほか、左側のAppコントロール部分は、利用中のアプリ専用のボタンや機能が表示され各種操作を素早く行える。うまく使いこなして、さまざまな操作を効率化しよう。

Control Stripで音量や明るさなどを調整

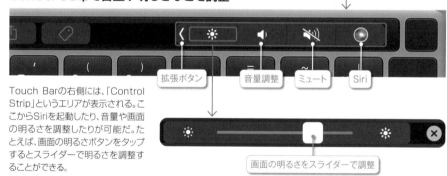

拡張ボタン / 音量調整 / ミュート / Siri

画面の明るさをスライダーで調整

Touch Barの右側には、「Control Strip」というエリアが表示される。ここからSiriを起動したり、音量や画面の明るさを調整したりが可能だ。たとえば、画面の明るさボタンをタップするとスライダーで明るさを調整することができる。

Control Stripを拡張する

拡張ボタンをタップ

Control Stripの左端にある拡張ボタンをタップすると、エリアが拡張され、Mission ControlやLaunchpad、メディア再生など、そのほかの操作ボタンが表示される。

拡張したControl Stripを常に表示する

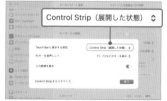

Control Strip（展開した状態）

Appleメニューの「システム設定」→「キーボード」→「Touch Bar設定」→「Touch Barに表示する項目」を「Control Strip（拡張した状態）」にすると、常に拡張したControl Stripが表示される。

画面の明るさ調整 / Launchpad / メディア再生 / ミュート / 音量調整

Mission Control（ウインドウの一覧画面） / バックライトキーボードの明るさ調整

Touch Barを使いこなしてみよう

実際にTouch Barではどのような項目が表示されるのか、いくつか例を見てみよう。Safariでは、表示しているページによって項目が変わり、YouTube再生中はシークバーなどが表示される。また、「fn」キーを押すことで、ファンクションキーを表示させることが可能だ。

Safariで新規ウインドウを表示した場合

Touch Barの内容は、使用しているアプリや状況によって変化する。たとえば、Safariで新規ウインドウを表示した場合、お気に入りのサイトがTouch Barに一覧表示される。

お気に入りのサイト

SafariでYouTubeを再生した場合

同じSafariでも、YouTubeにアクセスして動画を再生しているときは、以下のようにシークバーで再生位置を調整できる。タッチ操作で再生位置をシークできるのは便利。

進む／戻る　検索　シークバー　ピクチャ・イン・ピクチャ表示　新しいタブを開く

他のアプリを使用中に再生コントロールを表示する

ミュージックやビデオの再生中は、他のアプリを使っていても、Control Stripの一番左のボタンを押せば再生コントロールを表示可能だ。

シークバー　再生コントロール

Touch Barにファンクションキーを表示する

「fn」キーを長押しすると、Touch Bar全体にF1〜F12までのファンクションキーが表示される。

ファンクションキー

ファンクションキーを常に表示させる

Appleメニューの「システム設定」→「キーボード」→「Touch Bar設定」→「Touch Barに表示する項目」を「F1、F2などのキー」にするとファンクションキーを常に表示できる。

「fn」キーを長押ししたときの動作を設定する

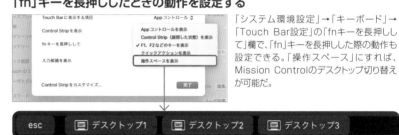

「システム環境設定」→「キーボード」→「Touch Bar設定」の「fnキーを長押しして」欄で、「fn」キーを長押しした際の動作も設定できる。「操作スペース」にすれば、Mission Controlのデスクトップ切り替えが可能だ。

POINT Touch Barの内容をカスタマイズする

Control Stripの項目は、Appleメニューの「システム設定」→「キーボード」→「Touch Bar設定」→「Control Stripをカスタマイズ」で変更可能。また、アプリごとの項目（Appコントロール）は、各アプリの「表示」→「Touch Barをカスタマイズ」で変更する。

Control Stripをカスタマイズする

Control Stripをカスタマイズ...

画面下に項目をドラッグ&ドロップする

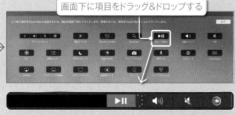

「システム設定」→「キーボード」→「Touch Bar設定」→「Control Stripをカスタマイズ」をクリックすると、Control Stripの全項目が表示されるので、Touch Barへ追加したい項目を画面下へドラッグしよう。そのままTouch Bar上へドラッグできるので、配置したい場所でドロップすればよい。Control Stripを拡張した状態にも配置することが可能だ。

Appコントロールをカスタマイズする

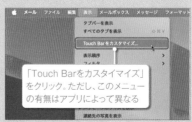

「Touch Barをカスタイマイズ」をクリック。ただし、このメニューの有無はアプリによって異なる

アプリごとに表示されるTouch Barの項目（Appコントロール）をカスタマイズする場合は、各アプリの「表示」メニューから「Touch Barをカスタマイズ」を実行しよう。配置したい項目をTouch Bar上にドラッグ&ドロップすればいい。

通知センター 通知やウィジェットでアプリの新着情報を確認する

通知とウィジェットを まとめて表示できる画面

メニューバー右上の日時をクリックするか、トラックパッドの右端から2本指で左にスワイプすると、「通知センター」を表示できる。ここでは、メールやメッセージをはじめ、さまざまなアプリの通知履歴が一覧表示され、見逃した通知も後から確認することが可能だ。ただし通知が多すぎると、本当に必要な通知が埋もれてしまって見つけづらいので、通知の確認が不要なアプリは通知機能をオフにしておこう。またこの画面では、時計や天気予報、カレンダー、ニュースなど、さまざまな情報をパネル状のツールで確認できる「ウィジェット」も配置しておける。これもよく利用するものだけ配置し、自分で使いやすいように整理しておこう。ウィジェットの編集方法は次ページで解説する。

日時をクリックすると通知センターが開く

3月6日 (水) 22:21

新着メールなどアプリの通知を確認できる。クリックすると該当アプリが起動する。またカーソルを合わせると「再通知」「返信」などのオプションメニューで直接アクションできる通知もある

カレンダーや天気などのウィジェットが表示される

グループ化された通知を開く

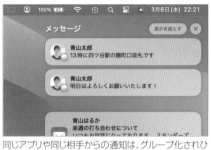

同じアプリや同じ相手からの通知は、グループ化されひとまとめに表示される。グループ化された通知をクリックすると、すべての通知が展開される。

通知を消去する

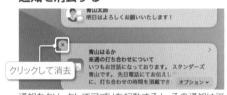

クリックして消去

通知をクリックしてアプリを起動すると、その通知は消える。また通知にカーソルを合わせて、左上の「×」をクリックすると消去できる。

通知の設定を 変更する

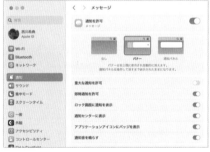

Appleメニューの「システム設定」→「通知」を開くと、アプリごとに通知の表示方法を設定できる。

各通知から通知設定を変更する

各通知の右クリックメニューからも通知設定を変更できる。「1時間通知を停止」「今日は通知を停止」で一時的に通知を停止できるほか、通知が不要なら「オフにする」を選択しよう。「通知設定」で上記の通知設定画面が開く。

通知をオフにする

不要な通知はスイッチをオフに

アプリを選んで「通知を許可」をオフにすると、このアプリの通知を無効にできる。頻繁に通知が届いてわずらわしいアプリなどはオフにしておこう。

通知スタイルを変更する

通知があった際に、デスクトップ右上に表示される通知のスタイルを変更する。「バナー」は自動的に消えるが、「通知パネル」の場合はなにか操作するまで消えないので、重要なアプリは「通知パネル」に変更しておこう。

通知に内容を表示させない

メッセージやメールの通知は、内容の一部が通知画面に表示される。これを表示したくないなら、「プレビューを表示」をクリックし「表示しない」を選択しておこう。

通知をグループ化しない

同じアプリや相手からの通知をひとまとめに表示せず、個別に通知を表示したいなら、「通知のグループ化」をクリックし「オフ」を選択しておこう。

🅟POINT

通知音を変更するには

macOSの通知音には、通知センターに表示される通知音と、エラー時に鳴る警告音の2種類がある。「システム設定」→「サウンド」で変更できる通知音は警告音のほうで、通知センターとは関係がない。通知センターの通知音は、アプリごとに個別に用意された設定で変更する必要がある。通知音を変更可能なアプリはあまり多くないが、例えば「メッセージ」なら、「設定」→「一般」→「メッセージ受信サウンド」で変更が可能だ。「なし」を選択して通知音を鳴らさないようにもできる。

好きなウィジェットを配置する

　MacBookでは、アプリが備える特定の機能を表示したり素早く呼び出せるパネル状のツール、「ウィジェット」を配置できる。従来は通知センターにしか配置できなかったが、macOS Sonomaからはデスクトップ上の好きな場所に配置したり、同じApple IDでサインインしたiPhoneのウィジェットをMacBookでも利用できるようになった。アプリごとにサイズや機能の異なるウィジェットが複数用意されているので、自分で使いやすいように組み合わせて配置しよう。

POINT

ウィジェット対応アプリの探し方

標準アプリだけでなく、サードパーティー製のウィジェットも利用可能だ。ウィジェット機能を備えたアプリを探すには、App Storeで「ウィジェット」や「Widget」をキーワードに検索すればよい。

「ウィジェット」や「Widget」で検索

通知センターから追加する

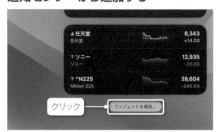

クリック

通知センターにウィジェットを配置したいときは、通知センターの一番下にある「ウィジェットを編集」をクリックしよう。ウィジェットギャラリーが開く。

デスクトップから追加する

クリック

ウィジェットギャラリーはデスクトップから開くこともできる。デスクトップの空いたスペースを右クリックし、「ウィジェットを編集」をクリックしよう。

ウィジェットギャラリーでウィジェットを選択する

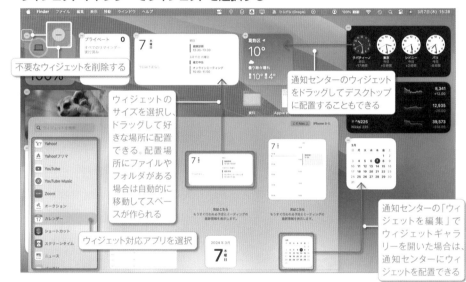

不要なウィジェットを削除する

ウィジェットのサイズを選択し、ドラッグして好きな場所に配置できる。配置場所にファイルやフォルダがある場合は自動的に移動してスペースが作られる

ウィジェット対応アプリを選択

通知センターのウィジェットをドラッグしてデスクトップに配置することもできる

通知センターの「ウィジェットを編集」でウィジェットギャラリーを開いた場合は、通知センターにウィジェットを配置できる

iPhoneのウィジェットを追加する

写真アプリでは、iPhoneで作成されたおすすめ写真やアルバムもMacBook上で表示できる

iPhoneから

ウィジェットギャラリーで、「このMac上」ではなく「iPhoneから」を選択すると、同じApple IDでサインインしたiPhoneのウィジェットをMacBookに追加できる。

ウィジェットを操作する

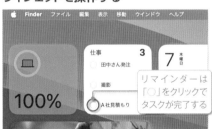

リマインダーは「○」をクリックでタスクが完了する

ウィジェットをクリックするとアプリが起動する。またリマインダーなど一部のアプリは、ウィジェット内でタスク完了などの操作を直接行える。

アプリの起動中は半透明になる

アプリを起動すると、デスクトップ上のウィジェットは半透明で薄く表示されるので、デスクトップに大量のウィジェットがあっても操作の邪魔にならない。

ウィジェットを編集する

ウィジェットを右クリックすると、サイズを小／中／大／特大に変更したり、「このウィジェットを削除」でウィジェットを削除できる。

ウィジェットの機能を設定する

天気アプリでは、「場所」欄をタップすると他の場所の天気に変更できる

ウィジェットを右クリックして「"○○"を編集」をクリックすると、天気の場所やリマインダーの表示リスト変更など、各ウィジェットの機能を設定できる。

POINT

ウィジェットを配置できない場合

ウィジェットをデスクトップに配置できなかったり、iPhoneのウィジェットを選択できないときは、「システム設定」→「デスクトップとDock」を開き、ウィジェット欄の「ウィジェットを表示」や「iPhoneウィジェットを使用」の項目がオンになっているか確認しよう。

⊟ コントロールセンター よく使う機能や設定に素早くアクセスする

ワンクリックで主要な機能を呼び出せる

Wi-FiやBluetoothのオン／オフ、音量や画面の明るさの変更、集中モードのオン／オフなど、よく使う機能や設定に素早くアクセスできる画面が「コントロールセンター」だ。メニューバーのコントロールセンターボタンをクリックすることで開くことができる。各機能をクリックするとサブメニューが表示され、Wi-Fiの接続先を変更したり、集中モードの時間を選択したり、iPadを2台めのディスプレイとして接続するSidecar機能を利用できる（P124で解説）。

クリックしてコントロールセンターを表示

コントロールセンターで表示される機能

左上はネットワーク関係のトグルボタン。アイコンをクリックするとオン／オフを切り替えできるほか、機能名をクリックすると接続先などを変更できる。右上は集中モードの切り替えと、ステージマネージャ（P055で解説）のオン／オフ、画面ミラーリング（Sidecar）の設定。その下は、ディスプレイの輝度、主音量と音声出力先の変更、ミュージックの再生コントローラになっている。

他の項目を追加する

他の項目を追加する / オンにする

コントロールセンターに他の項目を追加するには、「システム設定」→「コントロールセンター」を開く。「その他のモジュール」から追加したい機能を探して「コントロールセンターに表示」をオンにしよう。この画面でメニューバーに表示させることもできる。

メニューバーに表示させる

メニューバーにドラッグ

コントロールセンターの項目は、ドラッグすることでメニューバーに追加することができる。削除したいときは「command」キーを押しながらメニューバーの下にドラッグすれば良い。

⧗ スクリーンタイム MacBookの使用状況を確認する

アプリなどの使用制限も設定できる

MacBookを1日にどれくらい使っているか、ひと目で確認できる機能が「スクリーンタイム」だ。「システム設定」→「スクリーンタイム」で機能を有効にしておけば、アプリ利用時間やWebサイトを見た時間、使った時間帯、通知された回数、デバイスを持ち上げた回数など、詳細なレポートを確認できる。また、MacBookを使わない時間帯を設定したり、1日あたりのアプリの使用時間を制限して、使いすぎを防ぐことも可能だ。生活習慣の見直しに役立てよう。

スクリーンタイムを有効にする

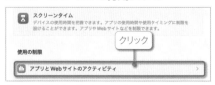

クリック

「システム設定」→「スクリーンタイム」を開き、「アプリとWebサイトのアクティビティ」→「アプリとWebサイトのアクティビティをオンにする」をクリックすると、スクリーンタイムが有効になる。

使用状況を確認する

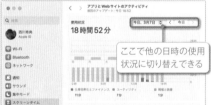

ここで他の日時の使用状況に切り替えできる

「アプリとWebサイトのアクティビティ」では、使ったアプリや訪れたWebサイトごとの利用時間をグラフで確認できる。

アプリの制限時間を決める

「制限を追加」をクリックすると、アプリやジャンルを選択し、それらの制限時間を設定できる

「アプリ使用時間の制限」では、特定のアプリや「ゲーム」「SNS」などカテゴリごとに、1日の使用時間に制限を設けることができる。

使わない時間帯を決める

休止時間にするスケジュールを設定しておこう

「休止時間」を有効にすると、指定した時間帯は許可したアプリしか使えなくなる。休止時間中でも使用を許可するアプリは「常に許可」画面で設定できる。

購入や機能変更を制限する

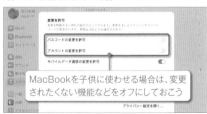

MacBookを子供に使わせる場合は、変更されたくない機能などをオフにしておこう

「コンテンツプライバシー」を有効にすると、成人向けコンテンツへのアクセスを制限したり、ストアでの購入や、重要な機能の変更を禁止することができる。

Siri 何でも頼める音声アシスタント

情報検索やアプリの起動など多彩な用途に使える

「Siri」は、バージョンアップを重ねてますます賢く便利になっている、音声アシスタント機能だ。メニューバーのSiriボタンをクリックするか、「Hey Siri」の呼びかけで起動できる。メールの作成や、FaceTimeの発信、カレンダーへのイベント追加、アプリの起動といった使い方以外にも、通貨や単位を変換したり、流れている曲の名前を教えてもらうなど、さまざまなシーンで活躍する。何らかの作業中に、音量や画面の明るさを調整するといったちょっとした操作をSiriにまかせてもよい。

Siriを起動する

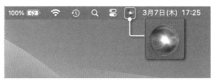

（長押しする）

メニューバーのSiriボタンをクリックするか、「command」+「スペース」キーを長押しすると、Siriが起動する。この状態でSiriに話しかけると、質問に応えてくれたり、アプリを操作してくれる。一部のMacBook Proでは、Touch Barの一番右にあるSiriボタンから起動することもできる。

「Hey Siri」の呼びかけで起動する

オンにする

"Hey Siri"と言ってください

2018年以降に発売されたMacBookであれば、「Hey Siri」と呼びかけてSiriを起動できる。2018年以前のMacBookでも、第2世代以降のAirPodsがペアリングされていれば、「Hey Siri」機能を利用可能だ。まず「システム設定」→「SiriとSpotlight」を開き、「"Hey Siri"を聞き取る」にをオンにしよう。

画面の指示に従ってSiriに何度か話しかければ、自分の声が登録されて「Hey Siri」で起動できるようになる。また「ロック中にSiriを許可」をオンにしておけば、画面がロック中でも「Hey Siri」の呼びかけでSiriを起動できる。

Siriに頼める便利な使い方

音量や明るさを細かく調整する
「音量を○%にして」や「画面の明るさををを○%にして」と頼むと、音量や画面の明るさを1%単位で調整できる。

通貨を変換する
例えば「60ドルは何円?」と話しかけると、最新の為替レートで換算してくれる。また各種単位換算もお手の物だ。

流れている曲名を知る
「この曲は何?」と話しかけ、MacBookで再生中の曲や外部で流れている曲を聞かせることで、その曲名を表示させることができる。

曲をリクエスト
「おすすめの曲をかけて」などで曲を再生してくれる。Apple Musicを利用中なら、Apple Music全体から選曲する。

リマインダーを登録
「8時に○○に電話すると覚えておいて」というように「覚えておいて」と伝えると、用件をリマインダーアプリに登録してくれる。

家族の名前を登録
例えば「妻にメール」と話しかけて、連絡先の名前を伝えると、家族として登録され、以降「妻に○○」で各種操作を行える。

タイマーやアラームを設定
タイマーは「タイマーを3分にセット」や「タイマーを停止」で操作できる。アラームは「朝7時にアラームを設定」と伝える。

「さようなら」で終了
Siriを終了させるには、Siriのアイコンをクリックするか「×」ボタンを押せばよいが、「さようなら」と話しかけることでも終了可能だ。

POINT | Siriで実行できなくなった操作

最新のmacOSでは、以前にSiriで行えた操作が一部できなくなっている。具体的には、「PDFファイルを探して」などのファイル検索や、「このMacの空き領域は?」などシステム情報の確認、「昨日撮った写真を見つけて」など写真アプリの検索ができない。

クイックメモ どの画面からも手軽にメモを作成できる

画面右下から素早くメモを呼び出す

思いついたアイデアをすぐにメモしたい時は、画面の右下にポインタを移動させよう。右下角に現れるタブをクリックすると、他のアプリを使用中でも最前面にクイックメモが開き、素早くメモを作成できる。Safariやアプリのリンクを追加したり、画像の貼り付けも可能だ。クイックメモは前回と同じものが開くが、「メモ」→「設定」→「常に最後のクイックメモを再開」のチェックを外すと、常に新規メモが開く。作成したメモは、標準の「メモ」アプリに保存される。

クイックメモの起動方法

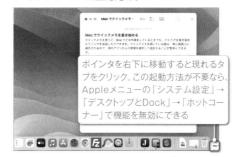

ポインタを右下に移動すると現れるタブをクリック。この起動方法が不要なら、Appleメニューの「システム設定」→「デスクトップとDock」→「ホットコーナー」で機能を無効にできる

ポインタを画面右下に動かすと小さなタブが表示され、これをクリックするとクイックメモが開く。「Q」+「Fn」キーを押しても起動する。

クイックメモにリンクを追加する

クリック。クイックメモにリンクしたテキストはハイライト表示される

クイックメモに追加

Safariでテキストを選択し、右クリックメニューから「新規クイックメモ」や「クイックメモに追加」を選択すると、クイックメモにリンクが挿入される。

Spotlight あらゆるデータを探し出す検索ツール

ファイルの内容も含めて検索できる

ファイルだけでなく、アプリやメール、ブックマーク、Webなどあらゆる情報を探し出せる強力な検索機能が「Spotlight」だ。写真は「海」「花」など被写体の内容でも探せるほか、写真に写ったテキストも検索対象となる。検索結果をクイックルック（P029で解説）で内容表示することも可能だ。ただ、検索対象が広すぎて関係ない情報もヒットしがちなので、ファイルを探すだけならFinder右上の検索ボックスを使ったほうがが早い。

キーワードで目的のデータを見つけ出す

キーワードを入力する

メニューバー右上の虫眼鏡ボタンをクリックするか、「command」＋「スペース」キーを押すと、Spotlightの検索画面が表示される。キーワードを入力すると、検索結果がカテゴリ別にリストアップされる。

MacBook全体を横断検索するので、過去の企画案件に関する情報をファイルやメール、ブックマークなどから洗いざらい探し出したいといった用途に向いている。画像内のテキストも検索対象となる。また、検索結果を選択して「スペース」キーを押すとクイックルックで表示できる。そのほか、計算式を入力して計算したり、「100円」や「100ポンド」と入力すれば自動でドルやキログラムに換算するといった機能も備えている

集中モード 仕事や睡眠中は自動で通知をオフにする

集中したいシーンごとに細かな通知設定が可能

仕事や勉強に集中している時に、メールやSNSの通知で邪魔されたくないなら、「集中モード」を設定しておこう。「おやすみモード」「仕事」「睡眠」「パーソナル」といった集中したいシーンに合わせて、自動的に通知をオフにするスケジュールを設定できるほか、特定の場所に移動したりアプリを起動した時に自動で集中モードを有効にすることもできる。集中モードのオン／オフは、コントロールセンターから手動で切り替えることも可能だ。

集中モードを設定する

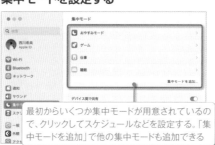

最初からいくつか集中モードが用意されているので、クリックしてスケジュールなどを設定する。「集中モードを追加」で他の集中モードも追加できる

Appleメニューの「システム設定」→「集中モード」を開き、「おやすみモード」などの集中モードをクリック。自動で有効にするスケジュールや、集中モード中でも通知を許可する連絡先などを設定しておこう。

集中モードを手動で切り替える

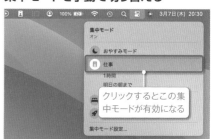

クリックするとこの集中モードが有効になる

コントロールセンターを開いて「集中モード」をクリックすると、「おやすみモード」「仕事」などの集中モードが一覧表示される。これをクリックすると、手動で集中モードのオン／オフを切り替えできる。

スクリーンショット MacBookの画面を画像として保存する

ショートカットキーを使って撮影しよう

MacBookで表示中の画面を、画像として保存できる機能が「スクリーンショット」だ。エラー画面を保存して誰かに相談したり、気になるWeb記事を保存したりと、何かと利用する機会のある機能なので、操作方法を覚えておこう。「shift」＋「command」キーに加えて、画面全体を保存するなら「3」、一部を保存するなら「4」を同時に押すと覚えておけばよい。また、「5」を同時に押せば、保存先の変更やタイマー設定などを行えるツールが表示される。さらにTouch Bar搭載機種では、「6」を同時に押してTouch Barのスクリーンショットを保存できる。

フルスクリーンまたはエリア指定で撮影

フルスクリーンを撮影

エリアを指定して撮影

MacBookの画面を撮影する基本は、この2つのショートカットキーだ。「shift」＋「command」と「3」を同時に押すと画面全体を撮影できる。「4」を同時に押すと十字型のカーソルをドラッグした範囲を撮影可能。または、「4」を同時に押してから「スペース」キーを押すと、カーソルのあるウインドウが選択状態になり、クリックして撮影できる。ウインドウの影を含めず撮影したい時は、「option」キーを押しながらクリックする。

オプションで保存先の変更やタイマー設定を行う

スクリーンショットの保存先を指定

指定秒後に画面を撮影する

Launchpadの「その他」にある「スクリーンショット」を起動するか、「shift」＋「command」＋「5」を同時に押すと、ツールが表示される。スクリーンショットの保存先は標準だとデスクトップになるが、「オプション」から保存先を変更したり、タイマーを設定することが可能だ。

ステージマネージャ

効率的に作業できるマルチタスク機能

新しいウインドウ管理機能に切り替えてみよう

　macOSでは、ウインドウの管理機能を「ステージマネージャ」に切り替えて使うこともできる。これはiPadOSにも搭載されている機能で、使用中のウインドウだけを画面中央に表示し、必要に応じて画面左側に格納されたサムネイルをクリックして他のウインドウに素早く切り替えできる新しい操作方法だ。デスクトップに大量のウインドウを開いて散らかりがちな人は、ステージマネージャを有効にしたほうが、スッキリした画面で集中して作業できておすすめだ。

使用中のウインドウのみが画面中央に表示されるので作業に集中できる。また、複数のアプリやウインドウをひとつのグループとして扱うことが可能。たとえば、作業Aで使うウインドウのグループと作業Bで使うウインドウのグループ、さらにSNS用のグループなどを作成し、画面左のサムネイルで切り替えながら効率的に操作できる

ステージマネージャを開始する

1 コントロールセンターで機能をオンにする

メニューバーでコントロールセンター（P052で解説）を開き、「ステージマネージャ」をクリックすると機能が有効になる。

2 メニューバーから機能を切り替える

optionを押しながらクリック

メニューバーにドラッグ

ステージマネージャのボタンをドラッグしてメニューバーにドラッグして追加しておくと、optionを押しながらクリックして機能をオン／オフできる。

3 ショートカットキーを設定する

「ステージマネージャのオン／オフ」にチェックして「なし」をダブルクリックし、ショートカットキーに設定したいキーを押す

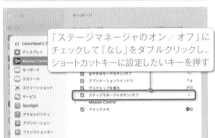

ショートカットキーで機能をオン／オフするには、「システム設定」→「キーボード」→「キーボードショートカット」→「Mission Control」で設定。

画面左側のサムネイルには、最近利用したウインドウが最大6つ（画面サイズに応じて変わる）表示され、クリックして素早く表示を切り替えできる。複数のウインドウをグループ化し、まとめて表示することも可能だ。表示中のウインドウサイズを画面左側まで大きくすると、このサムネイルは自動で隠れるが、ポインタを画面左に移動すればサムネイルを再表示できる。なお、サムネイルに表示されていないウインドウに切り替えるには、トラックパッドを3本指で上にスワイプしてMission Controlを開けばよい。開いているアプリやウインドウがすべて表示され、切り替えができる

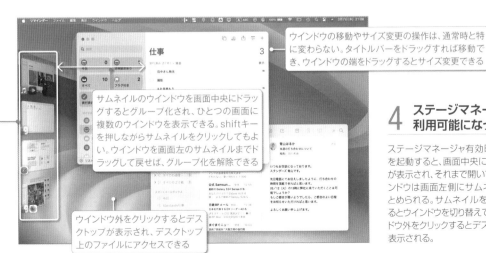

サムネイルのウインドウを画面中央にドラッグするとグループ化され、ひとつの画面に複数のウインドウを表示できる。shiftキーを押しながらサムネイルをクリックしてもよい。ウインドウを画面左のサムネイルまでドラッグして戻せば、グループ化を解除できる

ウインドウ外をクリックするとデスクトップが表示され、デスクトップ上のファイルにアクセスできる

ウインドウの移動やサイズ変更の操作は、通常時と特に変わらない。タイトルバーをドラッグすれば移動でき、ウインドウの端をドラッグするとサイズ変更できる

4 ステージマネージャが利用可能になった

ステージマネージャ有効時にアプリを起動すると、画面中央にウインドウが表示され、それまで開いていたウインドウは画面左側にサムネイルでまとめられる。サムネイルをクリックするとウインドウを切り替えでき、ウインドウ外をクリックするとデスクトップが表示される。

標準で使える便利なクラウドサービス

iCloudでさまざまなデータを同期&バックアップする

「iCloud（アイクラウド）」とは、Appleが提供するクラウドサービスだ。
MacBookで使う標準アプリなどのデータが自動で保存され、iPhoneやiPadなど
他のデバイスからも同じデータを利用することができる。

iCloudでは何ができる?

　Apple IDを作成すると、Appleのクラウドサービス「iCloud」を利用できるようになる。iCloudは、無料で5GBまで使えるクラウドサービスで、MacBookでは標準アプリのデータを同期することが主要な役割だ。Safariやメール、連絡先、カレンダー、写真などのデータをiCloud上に保存することで、同じApple IDを使ったiPhoneやiPadの標準アプリとデータが同期し、同じブックマークや連絡先データ、スケジュールなどにアクセスできるようになる。標準アプリの同期については、P067で詳しく解説している。また、MacBookならではのiCloudの利用法として、デスクトップや「書類」フォルダをまるごとiCloud上に保存できる点にも注目しよう。この機能を使えば、デスクトップ上に保存した仕事の書類をiPhoneで開いて編集した上、メールする……といった使い方も簡単に実現できる。右ページでその手順を詳しく解説している。

iCloudの役割を理解しよう

iCloudの各種機能を有効にする

Apple ID（P011で解説）でサインインした上で、Appleメニューから「システム設定」をクリック。一番上に表示されるApple ID名を選択し、続けて「iCloud」をクリックしよう。「iCloudを使用しているアプリ」で、写真やiCloud Drive、iCloudメール、パスワードとキーチェーンの同期を有効にできる。ユーザ辞書を同期したいならiCloud Driveはオンにしておこう。また「その他のアプリを表示」をクリックすると、連絡先やiCloudカレンダーなどのアプリを同期できる。上部の「管理」ボタンをクリックすると、iCloudに保存済みのデータを確認したり、不要なデータの削除も可能だ。

iCloudでできること

1 iPhoneやiPad との同期

　「写真」「iCloudメール」「連絡先」「iCloudカレンダー」などの標準アプリは、iCloudで同期を有効にすることで、iPhoneやiPadでも同じデータを扱える。例えばiPhoneで撮影した写真をMacBookで閲覧したり、MacBookのカレンダーで作成した予定をiPadでも確認することが可能だ。これら標準アプリのデータは、常に最新の状態でiCloudに保存されるので、実質的なバックアップとしても機能する。MacBookが故障してメールや連絡先を開くことができなくなっても、最新のデータ自体はiCloud上に保存されているため、新しいMacBookで同じApple IDを使ってサインインすれば、すぐにメールや連絡先を復元できる。

P067で詳しく解説 →

2 デスクトップや 書類の保存、同期

　右ページで詳しい手順を解説するが、MacBookのデスクトップや書類フォルダに保存されたファイルを、iCloudに保存して同期することもできる。同期を有効にすると、iCloud Drive上に「デスクトップ」と「書類」フォルダが作成される。これがMacBookの「デスクトップ」「書類」フォルダの本体になるので、MacBook上でデスクトップや書類フォルダにファイルを作成すれば、特に意識しなくても、自動的にiCloud上に保存されることになる。他のiPhone、iPad、パソコンのWebブラウザなどからも、デスクトップや書類フォルダにあるファイルにアクセスして利用することが可能だ。

右ページで詳しく解説 →

POINT 　iPhoneやiPadのようなバックアップは作成できない

iPhoneやiPadは、本体のバックアップもiCloudに保存しておけるが、MacBookでは保存できない。MacBookで本体の設定を含めたバックアップを作成するには、「Time Machine」機能（P100で解説）を使って外部ディスクに保存するのが基本だ。

デスクトップや書類をiCloudに保存する

MacBookで機能を有効にする

Appleメニューの「システム設定」で一番上のApple IDをクリックし、「iCloud」→「iCloud Drive」をクリックする。

「このMacを同期」と「"デスクトップ"フォルダと"書類"フォルダ」をオンにすると、MacBookの「デスクトップ」フォルダと「書類」フォルダがiCloud Drive上に移動する。

iPhoneやiPadの設定を確認する

iPhoneやiPadでは、「設定」の一番上のApple IDを開いて「iCloud」をタップ。「iCloud Drive」→「このiPhone(iPad)を同期」のスイッチをオンにしておく。

デスクトップにあったファイルの移動先

このフォルダの中身は、デスクトップ上に出してしまってよい。iCloudの「デスクトップ」フォルダ内に「デスクトップ - MacBook」フォルダが作成された状態だ。新たにデスクトップ上に置いたファイルも、保存先はiCloud上になる

デスクトップ上に元々あったファイルは、デスクトップ上に新しく「デスクトップ - MacBook」といった名前のフォルダが作成され、その中にまとめて保存される。

通常通りデスクトップにファイルを置く

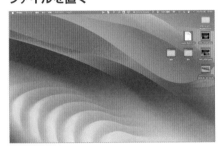

「デスクトップ - MacBook」の中身をデスクトップに出した状態。作業中のフォルダを置いたり、添付ファイルを保存したり、デスクトップを同期前と同じように利用できる。

デスクトップと書類のファイルはiCloudに保存

FinderのサイドバーのiCloud欄に「デスクトップ」と「書類」が追加された

今後はデスクトップ上や「書類」にファイルを置いた場合、そのファイルの保存先はiCloud Driveになる。ファイルを削除するとiCloud上からも消える。

iPhoneやiPadから書類にアクセスする

MacBookで同期されている「デスクトップ」と「書類」フォルダ

iPhoneやiPadでは、「ファイル」アプリを起動してiCloud Driveを開く。「デスクトップ」や「書類」フォルダを開くと、MacBookで保存したファイルにアクセスできる。

iCloud.comからもアクセスできる

アプリ一覧から「Drive」をクリック

会社のWindowsパソコンなどから操作したい時は、WebブラウザでiCloud.com(https://www.icloud.com/)にアクセスし、アプリ一覧から「Drive」をクリックして開けばよい。

iCloudストレージの容量を増やすには

月額130円で50GBのプランがおすすめ

iCloudの容量が足りなくなったら、「システム設定」でApple IDを開いて「iCloud」→「管理」をクリック。「さらにストレージを購入」をクリックすれば容量を買い足せる。

POINT

デスクトップと書類の同期をオフにするとどうなる？

MacBookで扱うファイルは、ほとんどデスクトップに保存するという人は多い。その場合、「デスクトップ」や「書類」を同期すると、iCloudのストレージ容量をかなり圧迫してしまう。iPhoneやiPadからデスクトップや書類にアクセスできる利便性を重視しないのなら、同期はオフにしておこう。いったん同期を有効にした状態からオフにすると、MacBookのデスクトップ上からファイルが削除され、ローカル上に空の「書類」フォルダが作成される。データが消えたように見えるが心配はいらない。iCloud Drive上の「デスクトップ」や「書類」フォルダにはデータが残っているので、MacBook上のデスクトップと「書類」フォルダへコピーすればよい。

はじめにチェック!
まずは覚えておきたい設定&操作法

ここまでの記事で解説しきれなかった、
確認しておくべき設定ポイントや
覚えておくべき操作法を総まとめ。

---

01 MacBookの基本情報を確認する

「このMacについて」に情報がまとまっている

Appleメニューの一番上にある「このMacについて」を開いてみよう。搭載しているプロセッサやメモリなどの基本スペックの他、シリアル番号やインストールしているmacOSのバージョンなど、MacBookの基本情報をまとめて確認できる。「詳細情報」をクリックすれば、さらに詳細な情報を表示できる。

1 Appleメニューで「このMacについて」を開く

「このMacについて」では、MacBookのモデルやプロセッサ、メモリ、シリアル番号、macOSのバージョンをまとめて確認できる。

2 その他の情報を表示する

システムレポートでMacBookのより詳細なスペックを確認できる

「このMacについて」画面で「詳細情報」をクリック。システム設定の「情報」画面が開くので、「システムレポート」をクリック。

---

02 システム設定を一通りチェックしておく

画面や音、操作法などの設定が集約されている

AppleメニューやDockにある「システム設定」には、ディスプレイやサウンド、トラックパッドの操作法など、さまざまな項目に関する設定が集約されている。iPhoneやiPadの「設定」アプリのような画面だ。どのメニューにどんな設定項目があるかあらかじめ一通り目を通しておくことをおすすめしたい。

1 Appleメニューで「システム環境設定」を開く

左メニューの各項目をクリックして設定できる内容をチェックしよう。左上のユーザーアイコンをクリックしてiCloudなどの設定も可能。

2 設定項目がどこにあるかキーワード検索も可能

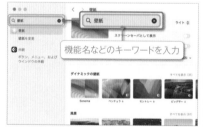

機能名などのキーワードを入力

目的の設定がどこにあるかわからない時は、画面左上の検索ボックスでキーワード検索を行える。

---

03 画面が自動で消灯するまでの時間を設定する

省電力やセキュリティを考慮して設定する

MacBookは、一定時間操作を行わないと自動的にディスプレイがオフになり画面が消灯する。この消灯までの時間は変更可能だ。省電力やセキュリティと使い勝手のバランスを考えて設定しよう。なお、ディスプレイオフの後にロックがかかるまでの時間も別途設定することができる(記事04で解説)。

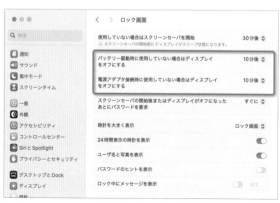

Appleメニューの「システム設定」→「ロック画面」を開く。「バッテリー駆動時に使用していない場合はディスプレイをオフにする」と「電源アダプタ接続時に使用していない場合はディスプレイをオフにする」で、バッテリー使用時と電源アダプタ接続時それぞれの状態でのディスプレイがオフになるまでの時間を設定する。

04 ディスプレイを閉じたら即座にロックする

閉じると共にスリープし同時にロックがかかる

　MacBookは、スリープした後ロックがかかるまでの猶予時間も別途設定可能だが、セキュリティを重視するなら、スリープと同時にロックを有効にしたい。そうすることで、ディスプレイを閉じた瞬間にロックがかかる状態にでき、安全性が高まるのだ。ディスプレイを開いたら、ロック画面での指紋認証などが必要だ。

1 設定で「すぐに」を選択しておく

「システム設定」→「ロック画面」にある「スクリーンセーバの開始後またはディスプレイがオフに～」を「すぐに」に設定する。

2 スリープした瞬間にロックがかかる

スリープして間を置かずにスリープ解除しても、ロック画面で指紋認証やパスワード入力が必要となる

ディスプレイを閉じたり、自動スリープした瞬間にロックがかかるようになり、セキュリティの強度が高まる。

05 Touch IDに指紋を登録する

ロック解除用に3つまで指紋を登録できる

　初期設定でTouch IDを設定しなかった場合や、指紋を追加登録したい場合は、Appleメニューの「システム設定」→「Touch IDとパスコード」で設定を行える。「指紋を追加」をクリックして、キーボード右上角のTouch IDセンサーに読み取りたい指紋を当て、画面の指示に従っていけばよい。指紋は3つまで登録可能だ。

クリックして指紋を追加

登録済みの「指紋1」にポインタを合わせ、続けて左上に表示される「×」をクリックすれば、その指紋を削除できる。また、その下のチェック項目で、指紋認証をApple Payや各種ストアでの認証に使うかどうかも設定可能だ。

06 Wi-Fiに接続する

ネットワークを選んでパスワードを入力するだけ

　初期設定でWi-Fiに接続していない場合や、外出先でWi-Fiに接続したい時も操作は簡単だ。メニューバーのWi-Fiマークをクリックし、ネットワーク（SSID）名を選択し、表示される画面でパスワードを入力するだけだ。同じApple IDを利用中のiPhoneやiPadが接続中のWi-Fiなら、パスワードの自動入力も行える。

1 手動でパスワードを入力する

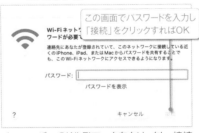

この画面でパスワードを入力し「接続」をクリックすればOK

メニューバーのWi-Fiマークをクリックし、接続したいネットワーク名を選択。パスワードを入力しよう。

2 パスワードの共有機能で自動入力する

ネットワークを選ぶとiPhoneやiPadにこのような画面が表示。「パスワードを共有」をタップすればよい

iPhoneやiPadがそのネットワークに接続中であれば、ネットワークを選ぶとパスワード共有機能が作動する。

07 MacBookの音量を調整する

各種操作で主音量をコントロールする

　音楽や動画をはじめ、MacBookから鳴るサウンドの音量は、メニューバーまたはコントロールセンターにあるサウンドのスライダで調整する。また、ファンクションキーやTouch Barでも調整可能だ。スライダを一番左にドラッグするか、キーボードやTouch Barの消音キーを押せば消音にすることもできる。

1 メニューバーやコントロールセンターを操作

一番左にドラッグして消音

メニューバーの音量アイコンやコントロールセンターをクリックして、音量スライダをドラッグする。

2 ファンクションキーやTouch Barで音量を調整

ファンクションキーは、右から音量上げる、音量下げる、消音キー。Touch Barは、右のボタンが消音で、左のボタンをタップするとスライダが表示され、音量を操作できる。

08 通知音の音量や 各種設定を変更する

主音量とは別の スライダを操作する

　メッセージの通知音や誤った操作を行った際に鳴る通知音（警告音）については、記事07で解説した主音量とは別に音量を設定できる。ただし、主音量を変更しても通知音の音量は変わってしまう。通知音の音量は、「主音量」と「通知音の音量」の設定を掛け合わせたボリュームになるので気をつけよう。

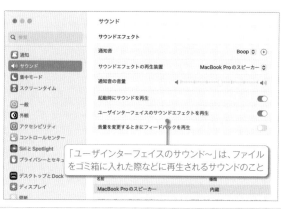

「ユーザインターフェイスのサウンド〜」は、ファイルをゴミ箱に入れた際などに再生されるサウンドのこと

通知音の音量や 種類を変更する

「システム設定」→「サウンド」の「サウンドエフェクト」欄で「通知音の音量」スライダを調整。一番左へドラッグすると通知音のみ消音にできる。一番上の「通知音」では、（メッセージなどの通知音ではなく）許可されていない操作を行った際などに再生される警告音を変更できる。

09 画面の黄色っぽさが 気になる場合は

Turue Toneを オフにしよう

　MacBookに搭載される「True Tone」は、周辺の環境光を感知し、ディスプレイの色や彩度を見やすいように自動調整する機能。この機能を有効にすると、特に室内では画面が黄色っぽい暖色系になりがちだ。気になる場合は機能をオフにしよう。オフにすると、青っぽいクールな色合いになる。

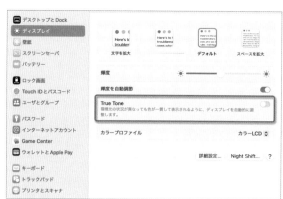

ディスプレイの設定で True Toneをオフにする

「システム設定」→「ディスプレイ」画面にある「True Tone」をオフにすると黄色っぽさはなくなる。なお、True Toneは、iPhoneやiPadにも搭載されている機能だ。

10 ファイアウォールを 有効にする

セキュリティの強化 に必須の機能

　外部からの不正アクセスからMacBookを守る「ファイアウォール」機能。オフになっている場合は、有効にしておこう。特に外出先でフリーWi-Fiを多用するユーザーには、機能の有効を推奨したい。各種オプションも環境によって変更しよう。

1 設定のロックを 解除する

スイッチをオンにしてファイアウォールを有効にする

「システム設定」→「ネットワーク」→「ファイアウォール」で「ファイアウォール」のスイッチをオンにする。

2 ファイアウォールを オンにする

ファイアウォールのスイッチの下にある「オプション」をクリックして、外部からの接続に関する詳細な設定を行える。

11 電源アダプタを外した 際に画面を暗くしない

省電力を重視しないなら 機能をオフにする

　MacBookがバッテリーで動作している時は、電源アダプタ接続中よりもディスプレイが若干暗くなるよう設定されている。これは省電力に配慮した仕組みなのだが、電源アダプタ接続中と外した際の画面の明るさの差異が気になる場合は、この機能をオフにしよう。電源アダプタを外しても明るさの変化がなくなる。

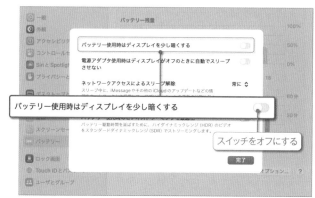

バッテリー使用時はディスプレイを少し暗くする

スイッチをオフにする

ディスプレイの 詳細設定を開く

「システム設定」→「バッテリー」の一番下にある「オプション」をクリック。次の画面で「バッテリー使用時はディスプレイを少し暗くする」のスイッチをオフにする。

12 壁紙をクリックして デスクトップを表示

ジェスチャよりも 素早く操作できる

Finderやアプリのウインドウを開いている際に隙間から見える壁紙をクリックすると、すべてのウインドウが画面外に移動してデスクトップを表示できる。再度クリックすれば、元の画面に戻る。親指と3本指を広げるジェスチャよりも素早く操作できる方法なので覚えておこう。

1 隙間から見える 壁紙をクリック

隙間から壁紙をクリック

デスクトップを表示したいときは、ウインドウの隙間から見える壁紙の部分をクリックしよう。

2 デスクトップが 表示された

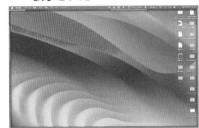

すべてのウインドウが画面外に押しやられ、デスクトップが表示された、再度壁紙をクリックすれば元の画面に戻る。

13 Dockでアプリの長押し メニューを利用する

目当てのウインドウが 見つからない時にも便利

Dockのアプリを長めにクリックすると、さまざまなメニューが表示される。このメニューには、各アプリのよく使う機能や操作のショートカットが割り当てられている。また、アプリで開いている書類やウインドウも一覧表示される（ただし、P063の23の記事で解説している設定を有効にしている場合に限る）。

1 アプリの機能や 操作を素早く利用できる

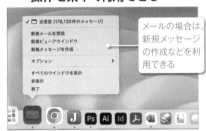

メールの場合は、新規メッセージの作成などを利用できる

Dockのアプリを少し長めにクリック。このようなメニューが表示される。

2 見当たらないウインドウ をここから表示

ウインドウを選択

アプリで開いている書類やウインドウ一覧が表示される。目当てのウインドウを選択して表示させよう。

14 スリープ中もMacBook を最新の状態に保つ

メールやメッセージの受信 iCloudの同期などを実行

スリープ中でもメールやメッセージの受信、カレンダーや連絡先などのiCloud経由でのアップデートを行い、MacBookを最新状態に保てる機能が備わっている（Power Nap）。デフォルトでは電源アダプタ接続中のみ実行される。常に最新状態にしたい場合は、あらかじめ設定を変更しておこう。

バッテリーの オプションを開く

「システム設定」→「バッテリー」で「オプション」をクリック。「ネットワークアクセスによるスリープ解除」の右メニューで「常に」を選択しよう。

15 メニューバーの項目を カスタマイズする

表示／非表示や 配置を変更する

メニューバーのWi-Fiやバッテリー、Spotlightなどのステータスアイコンは、非表示にしたり配置を変更することが可能。commandキーを押しながらアイコンをドラッグして並べ替えられる他、メニューバーの下へドロップして削除できる。また、「システム設定」の「コントロールセンター」でさまざまな設定を行える。

1 commandキー押しながら ドラッグ&ドロップ

「×」が表示された後、ドロップすれば削除できる。Siriやコントロールセンターなど、一部アイコンは操作できない

commandキーを押したままアイコンを左右にドラッグして並べ替えられる他、下へドラッグ&ドロップして削除できる。

2 システム設定で 各種設定を行う

時計や日付、バッテリーの％表示などもこの画面で設定できる

「システム設定」→「コントロールセンター」で、各種設定を行える。削除したアイコンもこの設定画面で再表示させることができる。

16 共有メニューから ファイルや情報を送信する

右クリックメニューや 共有ボタンを利用する

　Finderやアプリに備わっている共有機能を使えば、ファイルや見ているWebサイトのリンクなどを簡単に家族や友人に送信できる。Finderの場合は、ファイルを右クリックして、メニューから「共有」を選ぶか、ウインドウ上部の共有ボタンをクリック。送信手段が表示されるので選択すればよい。

1 Finderでファイルを 送信したい場合は

共有ボタンをクリック。近くのiPhoneやiPadへ送信したいなら「AirDrop」がおすすめ。「機能拡張を編集」で送信手段を追加できる

Finderウインドウでファイルを選択。右クリックか画面上部の共有ボタンをクリックし、送信手段を選択。

2 Webサイトのリンクを 送信したい場合は

クリックして送信手段を選択。なお、Chromeの場合は「ファイル」→「共有」を選択しよう

SafariでWebサイトのリンクを送信したい場合も、共有ボタンを利用しよう。

17 ファイルを圧縮／ 解凍する

macOS標準機能で zipファイルを扱う

　macOSは、標準機能でファイルの圧縮や解凍を行える。圧縮したいファイルやフォルダを右クリックし、メニューから「"○○"を圧縮」を選択すれば、元のファイルやフォルダに重なるようにzip形式の圧縮ファイルが作成される。zipファイルを解凍したい時は、ダブルクリックすればよい。

1 ファイルやフォルダ を圧縮する

複数のファイルやフォルダを選択して右クリックすれば、まとめてzip圧縮できる

ファイルやフォルダを右クリックして「"○○"を圧縮」を選択すれば、「.zip」ファイルが作成される。

2 zipファイルを 解凍する

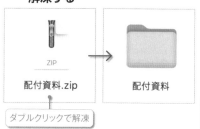

ダブルクリックで解凍

メールの添付ファイルなど、zip形式のファイルを解凍する際は、ダブルクリックするだけでよい。

18 Bluetoothで 周辺機器を接続する

マウスやヘッドフォンなど ワイヤレス機器を接続する

　MacBookには、Bluetooth対応のマウスやヘッドフォン、スピーカーなどのワイヤレス機器を簡単に接続できる。「システム設定」→「Bluetooth」でBluetoothをオンにし、周辺機器をペアリング待機状態にする。Bluetooth設定画面に周辺機器名が表示されたら、「接続」をクリックすればよい。

1 Bluetooth機器を 接続する

機器名にポインタを合わせると「接続」ボタンが表示される

周辺機器をペアリング待機状態にし、設定画面に周辺機器名が表示されたら「接続」をクリックする。

2 Bluetooth機器の 接続を解除する

機器名にポインタを合わせると「接続解除」ボタンが表示される

Bluetooth設定画面で機器名にポインタを合わせ、右端に表示される「接続解除」をクリックすれば接続を解除できる。

19 複数のファイルを簡単に フォルダにまとめる方法

ファイルを効率的に 整理できる操作法

　通常、複数のファイルをフォルダにまとめるには、まず右クリックメニューからフォルダを作成し、選択したファイルをフォルダ内へ移動させるという手順が必要だ。ところが、ここで紹介する操作法を使えば、もっと少ない手順でファイルをフォルダにまとめることができる。ぜひ覚えておこう。

1 複数ファイルを選択して 右クリックする

選択項目（5項目）から新規フォルダ

複数のファイルを選択し、右クリックする。続けて「選択項目（○項目）から新規フォルダ」を選択する。

2 選択したファイルを まとめたフォルダができた

フォルダ名を変更しよう

選択したファイルをまとめて格納したフォルダが作成された。

20 ファイルやフォルダの エイリアスを作成する

さまざまに活用できる 便利なショートカット機能

　macOSの「エイリアス」は、Windowsの「ショートカット」と同じ機能だ。ファイルやフォルダの分身のような存在で、ダブルクリックすると本体を開くことができる。ファイルやフォルダ本体の保存場所を移動させることなく、別の仕分け方でフォルダにまとめておきたい際などに便利な機能だ。

1 右クリックメニュー からエイリアス作成

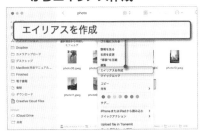

ファイルやフォルダを選択して右クリック。「エイリアスを作成」を選択する

2 フォルダの分身が 作成された

原稿のエイリアス

「○○のエイリアス」という名前でエイリアスが作成された。このエイリアスをダブルクリックすれば、本体を開くことができる。エイリアスは、どこに移動させてもいいし削除しても本体に影響はない。

21 メニューバーを 常に表示させておく

時刻やバッテリー残量など いつでもすぐに確認したい場合は

　画面上部のメニューバーは常に表示したままにすることもできる。「システム設定」→「コントロールセンター」の下の方にある、「メニューバーを自動的に表示／非表示」を「しない」に設定すればよい。「フルスクリーン時のみ」にすれば、フルスクリーン時のウインドウがメニューバー領域にも広がる。

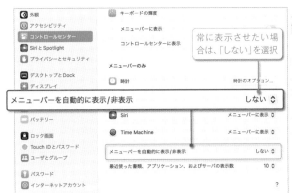

メニューバーの 設定を変更する

「システム設定」→「コントロールセンター」の「メニューバーを自動的に表示／非表示」を「しない」にすれば、ウインドウのフルスクリーン時を含めて常時メニューバーが表示されたままになる。

22 開いているすべての ウインドウを見渡す

Mission Controlで 一覧表示させる

　ファイルやフォルダを開きすぎて、目当てのウインドウを見つけにくい場合は、トラックパッドを3本指で上へワイプしてみよう。開いているウインドウがサムネイルで俯瞰的に一覧表示され、必要なウインドウをクリックして最前面に表示できる。複数のアプリやファイルを往復しながら作業するときに使いたい機能だ。

1 目当てのウインドウ が見つからない時は

3本指で上へスワイプ

デスクトップで目当てのウインドウを探しにくい時は、トラックパッドを3本指で上へスワイプしてみよう。

2 すべてのウインドウが 一覧表示される

使いたいウインドウをクリック

Mission Control機能で、開いている全ウインドウが俯瞰的に一覧表示される。なお、Mission Controlの他の機能はP094で解説。

23 ウインドウのDockへの しまい方を変更する

それぞれのアプリの アイコンへ収納する

　ウインドウ左上の黄色いボタンをクリックして、アプリやFinderのウインドウをしまうと、通常はDockの右端にいったん収納される。数が増えると表示がわずらわしいといった場合は、各アプリのアイコンへしまうようにすることもできる。「システム設定」の「デスクトップとDock」を開き、設定を変更しよう。

1 Dockの設定項目に チェックを入れる

スイッチをオンにする

「システム設定」→「デスクトップとDock」で「ウインドウをアプリケーションアイコンにしまう」のスイッチをオンにする。

2 Dockのアプリアイコンに ウインドウがしまわれる

アプリアイコンを長押し

アプリアイコンにしまわれるようになった。複数ウインドウがしまわれている場合は、長押しメニューから選択して開こう。

24 macOSの自動アップデートをオフにする

内容を確認してアップデートしたい場合は

　macOSは、定期的に不具合の解消や新機能の追加を行ったアップデートが配信される。改善を目的としたアップデートだが、環境によってはトラブルが起こることもある。アップデートの内容を精査した上で、手動でインストールしたい場合は、自動でアップデートしないようあらかじめ設定を変更しておこう。

1 ソフトウェアアップデートの設定を開く

「システム設定」→「一般」→「ソフトウェアアップデート」で「自動アップデート」欄にある「i」をクリック。

2 アップデートインストールのスイッチをオフにする

「macOSアップデートをインストール」のスイッチをオフにする。「セキュリティ対応とシステムファイルをインストール」はオンにしておくことが推奨される。

25 30日後にゴミ箱からファイルを自動削除

ストレージの節約に役立つ機能

　ゴミ箱に入れたファイルやフォルダは、ゴミ箱を空にするまでは消去されない。大事なデータを誤って消去しないよう配慮された仕様だが、大量にたまるとストレージを圧迫してしまう。ストレージを節約したい場合は、ゴミ箱に入れて30日経過したファイルやフォルダを自動で削除する機能を有効にしておこう。

1 Finderの設定で機能を有効化

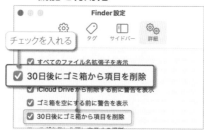

Finderのアプリケーションメニューで「Finder」→「設定」を開き「30日後にゴミ箱から項目を削除」にチェックを入れる。

2 システム設定で機能を有効化

「システム設定」の「一般」→「ストレージ」で「ゴミ箱を自動的に空にする」の「オンにする」をクリックしてもよい。

26 ストレージの使用状況を確認する

サイズ順にファイルを表示して削除も可能

　ストレージの利用状況（空き状況）は、「システム設定」→「一般」→「ストレージ」で視覚的に確認できる。また、同じ画面で「アプリケーション」や「書類」などの項目をクリックすると、それぞれサイズの大きい順にアプリやファイルを一覧でき、領域を圧迫しているデータを選んで削除することができる。

1 ストレージの利用状況をカラーバーで確認

「システム設定」→「一般」→「ストレージ」で、ストレージの利用状況がカラーバーで表示される。

2 サイズの大きい順にファイルを一覧する

「書類」の右の「i」をクリックすると、保存された各種ファイルがサイズの大きい順に一覧表示される。

27 スクリーンセーバーを設定する

一定時間操作しないときにムービーを表示

　一定時間操作しないときにムービーが表示される「スクリーンセーバー」機能。まず、「システム設定」→「ロック画面」→「使用していない場合はスクリーンセーバーを開始」で時間を選択。その時間経過後に「システム設定」→「スクリーンセーバー」で選んだイメージのムービーやスライドショーが表示される。

1 スクリーンセーバーが起動する時間を選択

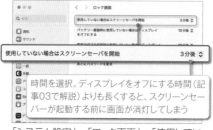

「システム設定」→「ロック画面」→「使用していない場合はスクリーンセーバーを開始」で時間を選択する。

2 スクリーンセーバーのイメージを選択する

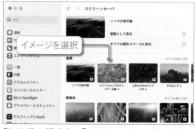

「システム設定」→「スクリーンセーバー」でイメージを選択。「オプション」で挙動をカスタマイズできるものもある。

28 日本語入力の変換学習をリセット

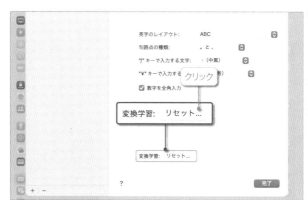

誤変換などの履歴を消去する

　日本語入力で間違った変換履歴やプライバシーに関わる変換履歴が表示されて邪魔な場合は、履歴を消去することができる。ただし、不要な変換履歴だけを選択して削除することはできず、すべての変換学習がまとめてリセットされデフォルト状態に戻ってしまうので気をつけよう。

変換学習をリセットする

「システム設定」→「キーボード」で「入力ソース」右の「編集」をクリック。「日本語 - ローマ字入力」などを選び、一番下にある「変換学習」右の「リセット」をクリック。

---

29 日付や時刻の表示スタイルを変更

午前／午後の表示やアナログスタイルも選択可能

　画面上部にあるメニューバーの右端には現在の日付と時刻が表示されている。この日付と時刻の表示スタイルは「設定」→「コントロールセンター」にある「時計のオプション」で変更可能だ。日付を非表示にしたり秒を表示したり、時刻を午前／午後表記にするなど、好みのスタイルに設定しよう。

1 「時計のオプション」を開いて設定する

「午前／午後を表示」のスイッチは、「設定」→「一般」→「日付と時刻」→「24時間表示」がオフのときだけ操作できる

「時計のオプション」画面で、日付や曜日の表示／非表示、時刻のスタイル、秒の表示などを細かく設定できる。

2 日付と時刻のスタイルが変わった

時刻を午前／午後の表記にし、秒も表示させてみた。

---

30 Apple Payを設定しオンラインで利用する

クレジットカードを登録してオンライン決済が可能

　macOSでは、iPhoneやiPadと同じようにAppleの決済サービス「Apple Pay」を利用できる。まずは、「システム設定」→「ウォレットとApple Pay」でクレジットカードなどの情報を登録しよう。Apple Pay対応のオンラインショップでは、Touch IDで認証しスムーズに支払いを行える。

1 カード情報を登録する

クリックしてカードをフロントカメラにかざす

「システム設定」→「ウォレットとApple Pay」で「カードを追加」をクリックし、クレジットカードなどの情報を登録する。

2 対応ショップでスムーズに支払える

このマークがあればApple Payで支払い可能

対応ショップで「Apple Pay」ボタンをクリックしよう。Safari以外のWebブラウザではボタンが表示されない場合があるので要注意。

---

31 PayPayやキャリア決済を利用する

Appleのサービスの支払いに利用可能

　App StoreやApple Music、Apple TV＋の支払いには、クレジットカードだけではなくPayPayやキャリア決済（iPhoneやスマホの利用料と合わせて支払う方法）も利用可能。「システム設定」一番上のApple ID名をクリックし、続けて「メディアと購入」をクリック。アカウント欄の「管理」から設定しよう。

1 支払い方法の管理画面を開く

クリック　お支払い方法を管理

「メディアと購入」のアカウント欄で「管理」をクリック。アカウント設定画面が開いたら「お支払い方法を管理」をクリックする。

2 支払い方法を追加する

PayPayで認証

PayPayを選んだら、続けて「PayPayで認証」をクリック。PayPayのアカウントでログインし、認証を進める

次の画面で「お支払い方法を追加」をクリック。キャリア決済（右から2番目のアイコン）かPayPayを選択しよう。

02

標準アプリ操作ガイド

本体とmacOSの仕組みや基本操作を覚えたら、はじめからMacBookにインストールされている標準アプリを使ってみよう。標準のメールアプリやWebブラウザのSafari、iPhoneともやり取りできるメッセージやFaceTimeなど、主力として使える良質なアプリが揃っている。ぜひ操作法をマスターしよう。

標準アプリとiCloudの関係を理解しておこう

アプリとiCloudの同期はバックアップにもなる

　MacBookに標準インストールされているアプリのいくつかは、「iCloud」というAppleのクラウドサービスと「同期」できるようになっている。iCloudとは、Apple IDを作成すると、自動的に無料で5GBまで使えるようになるインターネット上の保管スペースのこと。同期とは、写真やメールといった標準アプリのデータを、常に最新に状態でiCloud上に保存しておき、同じApple IDを使ったiPhoneやiPadでも同じデータを利用できるようにする機能のことだ。標準アプリのデータは、常にiCloud上に保存されることになるので、つまりiCloudには標準アプリのバックアップが自動的に作成されているとも言える。万一MacBookが壊れてしまっても、標準アプリのデータ本体はiCloud上にあるため、すぐに復元できる。iPhoneやiPadを使っていなくても便利な機能なので、iCloudの容量が許す限り標準アプリのiCloud同期は有効にしておこう。

標準アプリをiCloudと同期すると

MacBookのカレンダーアプリで表示、編集

常に最新のデータが保存され、すべてのデバイスの標準アプリが同じ最新の状態で利用できる

iPhoneやiPadのカレンダーアプリで表示、編集

iCloudの設定画面を確認する

Apple IDを選択

「iCloud」をクリック

Apple ID（P011で解説）でサインインした上で、Appleメニューから「システム設定」をクリック。一番上に表示されるApple ID名を選択し、続けて「iCloud」をクリックする。

写真やiCloudメールをオンにすると同期できる

連絡先などその他の標準アプリをオンにするにはここをクリック

「iCloudを使用しているアプリ」でオンにした標準アプリのデータは、常に最新の状態でiCloud上に保存される。iCloudの空き容量に対して標準アプリのデータが大きすぎる場合はオンにできない。

各アプリで同期、バックアップされる内容

写真

「iCloud写真」を有効にすることで、「写真」アプリで管理している写真やビデオがiCloud上に保存され、iPhoneやiPadで撮影した写真をMacBookでも表示して楽しめるようになる（P122で解説）。

iCloudメール

iCloudメール（「@icloud.com」のアドレス）のメールのみiCloud上に保存される。iCloudメールをまだ持っていない場合は、オンにすると新しいiCloudメールを作成できる。

連絡先

iCloudアカウントに追加された連絡先のみiCloud上に保存される。「連絡先」アプリで新しく作成した連絡先の追加先は、連絡先アプリの「設定」→「一般」→「デフォルトアカウント」で変更できる。

iCloudカレンダー

iCloudカレンダーに追加されたイベントのみiCloud上に保存される。「カレンダー」アプリでイベントを作成する際は、イベント名の横にあるボタンで追加先のカレンダーを選択できる。

リマインダー

「リマインダー」アプリに登録したタスクや作成したリスト、実行済みやフラグなどの状態はすべてiCloud上に保存される。通知を許可しておけば各デバイスに同時にリマインダーが届く。

Safari

「Safari」のブックマークやリーディングリスト、表示中のタブ、履歴などがiCloud上に保存される。MacBookのSafariで見ていたWebサイトを、iPhoneのSafariで開き直すといった操作も簡単。

メモ

iCloudアカウントに追加されたメモのみiCloud上に保存される。複数アカウントを追加している場合は、サイドバーでiCloudのフォルダを選択するとiCloudアカウントにメモを作成できる。

POINT 「パスワードとキーチェーン」の同期も確認

「iCloudキーチェーン」は、一度ログインしたWebサービスのユーザー名やパスワード、登録したクレジットカード情報などをiCloud上に保存しておき、次回からはTouch IDなどで認証するだけで自動入力できるようにする機能だ。iCloudの「パスワードとキーチェーン」をオンにしておくことで、iPhoneやiPadでも同じログイン情報やクレジットカード情報を使って自動入力できるようになる。保存されたログイン情報は、「システム設定」→「パスワード」をクリックし、コンピュータアカウントのパスワードを入力すれば確認できる。

Safari

Webサイトを見るための標準Webブラウザ

Webサイトを閲覧する 基本操作を知ろう

　MacBookでWebサイトを閲覧するには、標準Webブラウザの「Safari」を使おう。Safariのアドレス欄は「スマート検索フィールド」と呼ばれ、キーワード検索ボックスとしても使える。そのほか、タブの切り替えやブックマーク登録、ダウンロードなど基本操作を覚えておこう。複数のタブをグループ化してまとめて管理できるタブグループや、用途別に使用環境を切り替えできるプロファイル機能なども備えている。

使い始めPOINT

起動時に前回開いていた ウインドウを表示する

　Safariで開いていたタブを残したまま次回も開くようにするには、Safariのメニューバーから「Safari」→「設定」→「一般」タブを開き、「Safariの起動時」を「最後のセッションの全ウインドウ」にしておけばよい。ただし、Safariのウインドウ左上の「×」をクリックすると、アプリは終了せずウインドウが閉じてしまうため（P044で詳しく解説）、次回起動時にはウインドウを閉じる前の状態を復元できない。ウインドウを開いたままで、メニューバーから「Safari」→「Safariを終了」で終了するようにしよう。

Safariの起動時:　最後のセッションの全ウインドウ

Webサイトにアクセスして閲覧する

1 スマート検索フィールドに URLやキーワードを入力

URLやキーワードを入力

スマート検索フィールド（アドレス欄）は、URLを入力して直接Webサイトにアクセスできるほか、キーワードを入力するとGoogleの検索結果が表示される。

2 URLやキーワードの 候補から選択する

検索候補や履歴から選択できる

URLやキーワードを入力した際は下部にメニューが開き、よく使われる検索候補や、履歴などが表示される。これら候補から選択してクリックしても良い。

3 リンクをクリックして リンク先を開く

リンクをクリック

検索結果などWebサイト内のリンクをクリックすると、そのリンク先にアクセスし、Webサイトを表示することができる。

4 前のページに戻る、 次のページに進む

ツールバー左上の「<」をクリックすると直前に開いていたページに戻る。戻ったあとに「>」をクリックすると次のページに進む。

5 サイドバーを 表示する

サイドバーボタンでサイドバーを開くと、タブグループの切り替えや「あなたと共有」の確認、ブックマークやリーディングリストの管理を行える。

💡 使いこなしヒント

トラックパッドの ジェスチャで操作する

　トラックパッドを2本指でダブルタップすると、Webサイトを拡大縮小できる（スマートズーム）。また2本指で左右にスワイプすると、前後のページを表示できる。このようなトラックパッドのジェスチャで誤操作が多いなら、AppleメニューやDockの「システム設定」→「トラックパッド」で該当のジェスチャをオフにしておこう。

複数のWebサイトをタブで切り替えて表示する

1 新しいタブを 開く

新しいタブを開く

Safariでは、新しいWebサイトを「タブ」で開き、複数の Webサイトを切り替えて表示できる。右上の「+」ボタンをクリックすると、新しいタブが開く。

2 他のタブに 表示を切り替える

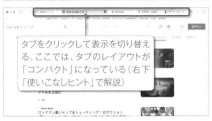

タブをクリックして表示を切り替える。ここでは、タブのレイアウトが「コンパクト」になっている（右下「使いこなしヒント」で解説）

元のWebサイトを残したまま、新しいタブで別のWebサイトを表示できる。タブをクリックすることで、表示するWebサイトを切り替えできる。

3 リンク先を 新しいタブで開く

リンクを新規タブで開く

クリック

リンクを右クリックして「リンクを新規タブで開く」を選択すると、リンク先を新しいタブで開くことができる。

4 不要なタブを 閉じる

クリック

タブにカーソルを重ねると、「×」ボタンが表示される。これをクリックすれば、不要なタブを閉じることができる。

5 新規タブグループを 作成する

空の新規タブグループ

「仕事」や「ニュース」などカテゴリ別のタブグループを作成しておく

タブをカテゴリ別にグループ分けできる機能が「タブグループ」だ。サイドバーボタン横の「∨」→「空の新規タブグループ」でタブグループを作成しておこう。

6 タブを別のグループ に移動する

タブグループへ移動

クリック。タブをサイドバーのタブグループにドラッグして移動することもできる

開いているタブを別のグループに移動するには、タブの右クリックメニューから「タブグループへ移動」で移動したいタブグループを選択すればよい。

7 タブグループを 切り替える

✓ ニュース
仕事

タブグループを選択

タブグループの表示を切り替えるには、サイドバーからタブグループを選ぶか、サイドバーボタン横の「∨」ボタンをクリックしてタブグループを選択する。

8 開いているタブを 一覧表示する

右上のタブボタンをクリックすると、現在のタブグループで開いているすべてのタブがサムネイルで一覧表示される。

💡 **使いこなしヒント**

タブの表示スタイル を変更する

タブの表示スタイルは、スマート検索フィールドとタブが一体化した「コンパクト」と、スマート検索フィールドの下に別途タブが並ぶ「セパレート」から選択できる。メニューバーの「Safari」→「設定」→「タブ」の「タブのレイアウト」で自分が使いやすいスタイルに設定しておこう。

お気に入りの登録とお気に入りバーの表示

1 Webサイトを お気に入りに登録

お気に入り

ドラッグして登録。削除したいときは枠外にドラッグすればよい

あなたと共有

Webサイトを表示してスマート検索フィールドをクリックすると、「お気に入り」が表示される。この「お気に入り」欄にアドレス欄のURLをドラッグすると、表示中のページをお気に入りに登録できる。「お気に入り」は新しいタブを開いた際などにも表示されるので、よく使うWebサイトを素早く開けるようになる。

2 お気に入りバーを 表示する

お気に入りバー。お気に入りの項目を右クリックして表示されるメニューで名称変更や削除を行える

Safariのメニューバーから「表示」→「お気に入りバーを表示」を選択すると、ツールバーの下にお気に入りバーが表示される。お気に入りに登録したWebサイト名が表示され、クリックすればすぐに開くことが可能だ。アドレス欄のURLをお気に入りバーにドラッグして、お気に入りに登録することもできる。

Webサイトをブックマークに追加／プロファイルを複数作成する

1 表示中のWebサイトをブックマークする

ブックマークの追加先フォルダを選択

Webサイトを表示してスマート検索フィールドの「…」→「ブックマーク」をクリックすると、作成済みのブックマークフォルダにブックマーク登録できる。

2 ブックマークからWebサイトを開く

ブックマーク

「サイドバー」ボタンをクリックして「ブックマーク」をクリックすると、ブックマークが一覧表示される。Webサイト名をクリックするとすぐにアクセスできる。

3 ブックマークを編集する

新規フォルダ

ブックマークの編集画面が開き、「新規フォルダ」でフォルダを作成したり、フォルダやブックマークをドラッグして並べ替えできる

登録したブックマークをフォルダで分類して整理するには、Safariのメニューバーから「ブックマーク」→「ブックマークを編集」をクリックしよう。

1 新規プロファイルを作成する

プロファイルを使い始める

メニューバーの「Safari」→「設定」→「プロファイル」→「プロファイルを使い始める」で、仕事用や学校用などプロファイル名を付けて作成

複数の「プロファイル」を作成すれば、用途ごとに履歴やお気に入りなどの使用環境を切り替えて利用できる。まずは新規プロファイルを作成しておこう。

2 プロファイルの設定を変更する

プロファイルごとの使用環境を設定しておく

新規プロファイルを作成すると、元の環境は「個人用」という別のプロファイルになる

プロファイルごとのカラーやお気に入りの保存場所、機能拡張のオン／オフなどは、「Safari」→「設定」→「プロファイル」で変更可能だ。

3 プロファイルを切り替える

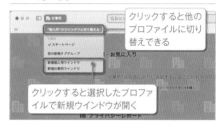

クリックすると他のプロファイルに切り替えできる

クリックすると選択したプロファイルで新規ウインドウが開く

ツールバーに現在使用中のプロファイル名が表示されるようになるので、これをクリックすれば他のプロファイルに切り替えできる。

Webサイトの共有／プライベートブラウズ

1 共有ボタンで共有方法を選択

共有方法を選択

共有ボタン

共有ボタンをクリックすると、表示中のWebサイトをさまざまな方法で共有できる。メールやメッセージ、AirDropなど共有に使うアプリや手段を選択しよう。

2 共有に使うアプリを追加する

共有メニューに追加したいアプリにチェック

共有に使いたいアプリが表示されない場合は、「機能拡張を編集」をクリック。チェックを入れたアプリが共有メニューに表示されるようになる。

3 タブグループを共有する

タブグループの「…」→「タブグループを共有」をクリックして参加依頼を送る

タブグループを共有し、複数ユーザーで同じタブグループを閲覧、編集することも可能だ。一緒に旅行する友人と旅先の情報収集を共同で行う際などに活用しよう。

1 プライベートブラウズを開く

クリック

プライバシーに配慮したプライベートブラウズでWebを閲覧するには、Safariのメニューバーから「ファイル」→「新規プライベートウィンドウ」をクリック。

2 プライベートブラウズでWebを閲覧する

プライベートブラウズウインドウはスマート検索フィールドが黒く表示される。終了するにはウインドウを閉じればよい

プライベートブラウズウインドウでは、検索履歴や閲覧履歴、自動入力された情報などがSafariに保存されない。Webサイトを表示する操作方法は通常と同じだ。

3 プライベートブラウズをロックする

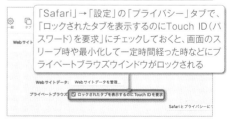

「Safari」→「設定」の「プライバシー」タブで、「ロックされたタブを表示するのにTouch ID（パスワード）を要求」にチェックしておくと、画面のスリープ時や最小化して一定時間経った時などにプライベートブラウズウインドウがロックされる

プライベートブラウズウインドウは、他の人に見られないようロックできる。ロックはTouch IDやパスワードで解除する。

Webサイトからファイルをダウンロードする

1 リンク先をダウンロードする

Safariでネット上のPDFやZIPなどのファイルを保存するには、リンクを右クリックして、「リンク先のファイルをダウンロード」をクリックすればよい。ダウンロードを開始するとツールバーの右上に「ダウンロードを表示」ボタンが表示され、クリックするとダウンロードの進捗状況が表示される。

2 ダウンロードしたファイルを確認

ダウンロードしたファイルは、Dockに配置されているダウンロードスタックをクリックすると、すぐに開くことができる。また、「Finderで開く」を選ぶと、保存先の「ダウンロード」フォルダを開くことができる。

ダウンロードしたファイルの保存先を変更する

使いこなしヒント

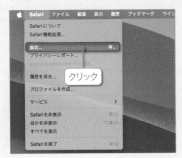

ダウンロードしたファイルの保存先を変更することもできる。Safariのメニューバーから「Safari」→「設定」をクリック。

「一般」タブの「ファイルのダウンロード先」で保存先を変更しよう。「ダウンロードごとに確認」を選択すれば、毎回保存先を選択できる。

デフォルトのWebブラウザをGoogle Chromeに変更する

WindowsやスマートフォンなどでGoogle Chromeを使い慣れているなら、MacBookのデフォルトのWebブラウザをGoogle Chromeに変更することも可能だ。メールやX（旧Twitter）でURLをクリックすると、Google Chromeが起動するようになる。またGoogleアカウントでサインインして同期を有効にすれば、ブックマークや拡張機能などもMacBookで利用できるようになる。

Google Chrome
作者／Google
価格／無料
入手先／https://www.google.com/chrome/

1 システム設定の「デスクトップとDock」をクリック

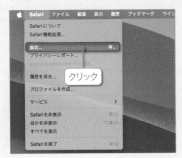

Google Chromeのインストールを済ませたら、AppleメニューやDockの「システム設定」→「デスクトップとDock」をクリック。

2 デフォルトのWebブラウザを変更する

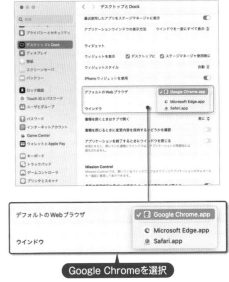

Google Chromeを選択

「デフォルトのWebブラウザ」をクリックし、Google Chromeを選択すれば、以降はSafariに変わってGoogle Chromeが標準のWebブラウザになる。

ChromeとSafariの間でHandoffを利用できる

使いこなしヒント

MacBookやiPhone、iPad間でアプリの作業を引き継げる「Handoff」機能（詳しくはP132で解説）。MacBookの標準WebブラウザをGoogle Chromeにし、iPhoneやiPadではSafariを使っている場合も問題なく連携可能だ。右の通り、iPhoneのアプリスイッチャーでHandoffのバナーをタップすれば、MacBookのChromeで開いているサイトを開き直すことができる。

タップして開く。iPadの場合は、Dockの右端にHnadoffで連携したSafariアイコンが表示される

メール

自宅や会社のメールをまとめて管理

メールを効率的に整理するさまざまな機能を備える

　MacBookに標準搭載されている「メール」は、自宅のプロバイダメールや会社のメール、iCloudメールやGmailといったメールサービスなど、複数のメールアカウントを追加して、まとめて管理できるアプリだ。複数アカウントのメールを効率的に整理できるさまざまな機能を備えているので、まずは普段使っているメールアカウントをすべて追加しておこう。メールの送受信や整理など、基本的な使い方も解説する。

使い始めPOINT

メールアプリにアカウントを追加する

メールアカウントは、メールのメニューバーから「メール」→「アカウントを追加」をクリックして登録する。iCloudメールやGmailならアカウントとパスワードの入力で簡単に登録できるが、自宅や会社のメールはPOPサーバーやSMTPサーバなどの情報を入力する必要がある。

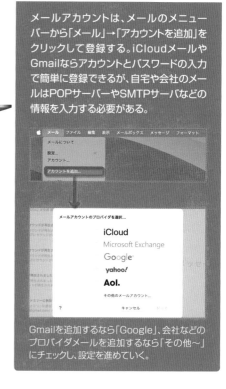

Gmailを追加するなら「Google」、会社などのプロバイダメールを追加するなら「その他〜」にチェックし、設定を進めていく。

自宅や会社のメールを送受信できるようにする

1 その他のメールアカントを選択

「その他のメールアカウント」を選択する

メニューバーから「メール」→「アカウントを追加」をクリックし、「その他のメールアカント」にチェックして「続ける」をクリック。

2 アカウント情報を入力する

クリック

メール送信時に使用する名前と、自宅や会社のメールアドレス、パスワードを入力し、「サインイン」をクリックする。

3 メールサーバーの情報を入力する

通常は「POP」を選択するが、利用するメールがIMAPに対応していれば「IMAP」を選択する

ユーザー名やアカウントの種類、受信用メールサーバ、送信用メールサーバの情報を入力し、「サインイン」でアカウントを追加できる。

追加したアカウントを確認する

使いこなしヒント

追加したメールアカウントは、メニューバーの「メール」→「設定」の「アカウント」画面で確認できる。「アカウント情報」の「このアカウントを使用」のチェックを外せば、メールアプリでのこのアカウントの使用を停止できる。

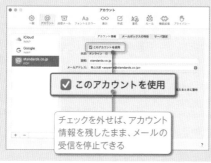

このアカウントを使用

チェックを外せば、アカウント情報を残したまま、メールの受信を停止できる

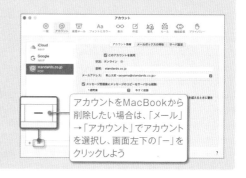

アカウントをMacBookから削除したい場合は、「メール」→「アカウント」でアカウントを選択し、画面左下の「ー」をクリックしよう

受信したメールを操作する

1 メールを受信する

メールが届くと自動的に受信されるが、今すぐ新着メールを確認したい時は、上部の受信ボタンをクリックすればよい。未読メールには青いマークが付く。

2 受信したメールを読む

受信メールのリストからメールを選択すると、右欄にメール内容が表示される。リストのメールをダブルクリックすると別ウインドウで表示できる。

使いこなしヒント

アカウントごとにメールを確認する

複数アカウントを追加している場合は、メールボックスを開いて「全受信」の「>」ボタンをクリックすると、アカウントごとに受信メールを確認できる。

3 返信や転送メールを作成する

メール上部の矢印ボタンで返信、全員に返信、転送を行える。なお、メール本文のヘッダ部分にカーソルを合わせても返信や転送ボタンが表示される。

4 添付されたファイルを開く

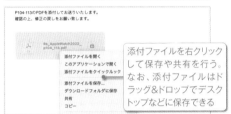

メールに添付されたファイルはダブルクリックで開くことができる。また、右クリックすれば、アプリを指定して開いたり、保存や共有などの操作を行える。

5 複数の添付ファイルをまとめて保存する

添付ファイルが複数ある場合は、メール本文のヘッダ部分にカーソルを合わせてクリップボタンをクリックしよう。「すべてを保存」でまとめて保存できる。

新規メールを作成して送信する

1 新規メールを作成する

新規メールを作成するには、メールのツールバーにある、新規メッセージボタンをクリックしよう。メールの作成画面が開く。

2 メールの宛先を入力する

「宛先」欄にメールアドレスを入力するか、入力途中に表示される候補から選択しよう。または、右端の「+」ボタンで連絡先から選択できる。

3 複数の相手に同じメールを送信する

宛先を入力してreturnキーをクリックすると、自動的に宛先が区切られて、複数の宛先を追加入力することができる。

4 CcやBccで複数の宛先にメールを送信する

CcやBccで複数の相手にメールを送ることもできる。CcとBccの宛先欄が表示されていない場合は、ツールバーのヘッダ欄ボタンから表示させることができる。

5 差出人アドレスを変更する

複数のアカウントを設定しており、差出人アドレスを変更したい場合は、「差出人」欄をクリックし、差出人アドレスを選択すればよい。

6 件名や本文を入力して送信

宛先と差出人を設定したら、あとは件名と本文を入力して、左上の送信ボタンをクリックすれば、メールを送信できる。

メールにファイルを添付する

1 添付ボタンで ファイルを添付

添付ボタン

クリック

ツールバーにある添付ボタンをクリックすると、画像や書類などさまざまなファイルをメールに添付できる。添付したいファイルを探して、「ファイルを選択」をクリックしよう。フォルダをそのまま添付することも可能だ。ツールバー右端の「写真ブラウザ」ボタンから写真を添付することもできる。

2 ドラッグ&ドロップ でも添付できる

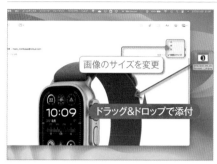

画像のサイズを変更

ドラッグ&ドロップで添付

メールウインドウにファイルをドラッグ&ドロップしても添付できる。添付ファイルが画像の場合は、ウインドウの本文内に画像が貼り付けられる。「画像サイズ」のメニューで、添付する画像のサイズを小中大に変更することも可能だ。画像を削除したい時は、文字と同じようにdeleteキーを押せばよい。

使いこなし
ヒント

大きなサイズのファイルを 送信する

添付ファイルのサイズが大きすぎる場合は、送信時に「Mail Dropを使用」という画面が表示される。この機能を使うと、ファイルがiCloudに一時的にアップロードされ、相手にはダウンロードリンクのみが送信される。アップロードされたファイルは最大30日間保存されるので、相手は30日以内ならいつでもダウンロードが可能だ。

クリック

メールを検索する

1 キーワードで メールを検索する

キーワードを入力

右上の虫眼鏡ボタンをクリックすると、メールをキーワード検索できる。複数の条件を入力して検索結果を絞り込むことも可能だ。

2 フィルタボタンで メールを抽出する

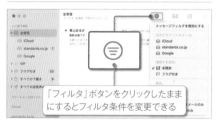

「フィルタ」ボタンをクリックしたままにするとフィルタ条件を変更できる

メッセージリストの上部にある「フィルタ」ボタンをクリックすると、未開封やフラグ付き、VIPからのメールのみといった条件でメールを抽出できる。

3 重要なメールに フラグを付ける

ツールバーの「フラグ」ボタン右の矢印ボタンをクリックしてカラーを選択

重要なメールには好きな色の「フラグ」を付けておこう。フラグを付けたメールには、メール一覧や宛先の横に旗のマークが表示されるようになる。

4 重要な相手を VIPに登録する

差出人名の左にカーソルを合わせて、表示される☆ボタンをクリックすると、この相手をVIPに登録できる

重要な相手は「VIP」に登録しておくと、その相手からのメールは自動的にVIPメールボックスに振り分けられるようになり、メールの見逃しを防げる。

5 フラグ付きやVIPの メールを表示する

「フラグ付き」や「VIP」メールボックスをクリック

サイドバーで「フラグ付き」メールボックスを開くと、フラグを付けたメールだけが一覧表示される。また「VIP」メールボックスを開くと、VIPに登録した相手からのメールが一覧表示され、重要なメールを素早く探し出せる。

その他の覚えておきたい操作

1 メールを下書き として保存する

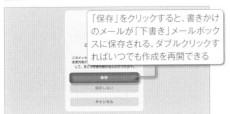

「保存」をクリックすると、書きかけのメールが「下書き」メールボックスに保存される。ダブルクリックすればいつでも作成を再開できる

メールの作成途中にウインドウを閉じると、「下書きとして保存しますか?」と表示される。「保存」をクリックすれば、あとでメール作成を再開できる。

2 未読メールを まとめて開封する

右クリックメニューで「すべてのメッセージを開封済みにする」を選択

未読メールをまとめて開封済みにしたい場合は、「全受信」などのメールボックスを右クリックし、「すべてのメッセージを開封済みにする」を選択すればよい。

3 特定の相手を 受信拒否する

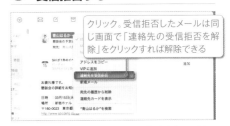

クリック。受信拒否したメールは同じ画面で「連絡先の受信拒否を解除」をクリックすれば解除できる

受信メールの差出人名の右にある「∨」をクリックし、「連絡先を受信拒否」を選択すると、この相手からのメールを受信拒否できる。

4 メールのスレッド 表示を無効にする

メニューバーの「表示」→「スレッドにまとめる」のチェックを外す

同じ話題についてやり取りした一連のメールは「スレッド」としてまとめて表示されるが、「スレッドにまとめる」をオフにすれば、着信順に1通ずつ個別に表示できる。

5 リストプレビューの 行数を変更する

メニューバーの「メール」→「設定」で「表示」画面を開き「リストプレビュー」で行数を変更。メールを開かずに内容を把握したいなら行数を多めにしておこう

メール一覧のリストには、件名や受信日時のほかに、内容の一部がプレビュー表示される。このプレビュー行数は「なし」から「5行」まで変更できる。

6 メールに署名を 自動で付ける

メニューバーから「メール」→「設定」で「署名」画面を開く。アカウントを選択して「+」をクリックし署名を作成

メールアプリでは、メールの作成時に自動で入力する署名を設定しておける。アカウントごとに個別に設定しておくことが可能だ。

その他の便利な機能

メールボックスを作成 してメールを振り分ける

サイドバーのメールボックスにメールをドラッグ&ドロップすれば移動できる

メニューバーの「メールボックス」→「新規メールボックス」でメールボックスを作成しておけば、自分でメールを振り分けて整理できる。

連絡先リストでメールを 一斉送信する

連絡先アプリでリストの右クリックメニューから「メールを送信」をクリックすると、リスト内の連絡先が全員宛先に追加された状態で、新規メールの作成画面が開く

連絡先アプリでリストを作成しておくと(P086で解説)、リスト内のすべての連絡先に対して、メールを一斉送信できる。

添付ファイルが送られてきた メールを確認する

クリックするとこのファイルが添付されていたメールを開くことができる

メールに添付されていたファイルを保存すると、そのファイル名の後ろにメールアイコンが表示される。これをクリックすると添付されていたメールが開く。

メールの送信を 取り消す

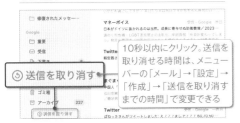

10秒以内にクリック。送信を取り消せる時間は、メニューバーの「メール」→「設定」→「作成」→「送信を取り消すまでの時間」で変更できる

メールを送信して10秒以内にサイドバーの下部にある「送信を取り消す」をクリックすれば送信を取り消しできる。取り消すまでの時間は設定で変更可能だ。

指定した日時に メールを送信する

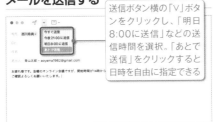

送信ボタン横の「∨」ボタンをクリックし、「明日8:00に送信」などの送信時間を選択。「あとで送信」をクリックすると日時を自由に指定できる

期日が近づいたイベントの確認メールを前日に送りたい時などに便利なのが、予約送信機能だ。送信ボタン横のメニューから送信するタイミングを指定しよう。

あらためて確認したい メールをリマインドする

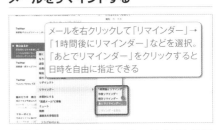

メールを右クリックして「リマインダー」→「1時間後にリマインダー」などを選択。「あとでリマインダー」をクリックすると日時を自由に指定できる

受信したメールをあとで確実にチェックしたいときはリマインダーを設定しておくと、指定した日時に改めて通知が届き受信メールの一番上に表示される。

メッセージ

iMessageでメッセージをやり取りする

会話形式でテキストや画像を送受信できる

「メッセージ」は、iPhoneやiPad、Mac相手にメッセージをやり取りできる無料のメッセージサービス、「iMessage」を利用するためのアプリだ。テキスト以外に写真やビデオ、音声メッセージなども会話形式でやり取りできるほか、ミー文字のステッカーでさまざまな表情のキャラクターを送信したり、メッセージエフェクトで吹き出しや背景に特殊効果を追加できる。受信サウンドも「メッセージ」→「設定」の「一般」画面で変更可能だ。

使い始めPOINT

メッセージで送受信できる宛先

iMessageでやり取りできる相手は、iPhone、iPad、Macだけ。宛先のアドレスは、Apple IDかiPhoneの電話番号、iMessageの送受信用に登録したメールアドレスのみだ。iMessageのやり取りができるかどうかは、下記の通り宛先を入力した際の色で判別できる。なお、iPhoneを持っていれば、iPhoneを経由することでAndroidとSMSのやりとりも可能だ（P135で解説）。

● iMessageの送受信可

iMessageで送信送信可能な宛先は青色で表示される。

宛先: 青山はるか ∨

● iMessageの送受信不可

緑色の相手はiMessageでやり取りできないが、iPhoneを経由すればSMSで送信できる。

宛先: 石田花子 ∨

メッセージを利用可能な状態にする

1 Apple IDでサインインする

メッセージ起動時にApple IDでサインインしていないと、サインインを求められる。Apple IDとパスワードを入力してサインインを済ませよう。

2 他の送受信アドレスを追加する

クリックしてメールアドレスを追加すると、iMessageやFaceTimeの送受信アドレスとして利用できる

iMessageの送受信用にApple ID以外のアドレスを使うには、Appleメニューの「システム設定」→「Apple ID」→「サインインとセキュリティ」で追加する。

3 送受信アドレスを確認する

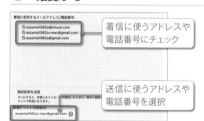

着信に使うアドレスや電話番号にチェック

送信に使うアドレスや電話番号を選択

iMessageの送受信アドレスは、メニューバーの「メッセージ」→「設定」→「iMessage」で確認できる。MacBookとiPhoneなどで送受信アドレスを使い分けることが可能。

---

iPhoneやiPadとメッセージを同期する

使いこなしヒント

iPhoneやiPadのメッセージをMacと同期するには、まずiPhoneやiPad側で、「設定」一番上のApple IDを開き、「iCloud」→「すべてを表示」→「iCloudにメッセージを保管」で「このiPhone(iPad)で同期」をオンにしておく。続けて「今すぐ同期」で同期しておこう。

MacBook側では、メニューバーから「メッセージ」→「設定」→「iMessage」画面を開き、「"iCloudにメッセージを保管"を有効にする」をチェックする。これで、iPhoneやiPadでバックアップ済みのメッセージが同期される。同期されない時は「今すぐ同期」をクリックしよう。

メッセージでiMessageをやり取りする

1 新規メッセージを作成する

クリックして新規メッセージ作成

メッセージ一覧の上部にある新規メッセージ作成ボタンをクリックすると、右欄に新規メッセージの作成画面が開く。

2 iMessageの宛先を確認して送信する

宛先を入力

メッセージを入力してreturnキーで送信

宛先がiMessageを送受信可能な青い表示になっていることを確認し、メッセージを入力して「return」キーをクリックすればiMessageを送信できる。

3 メッセージで写真やビデオを送信する

クリックしてメニューから「写真」を選択

メッセージ入力欄左のアプリボタンから「写真」をクリックして写真やビデオを選択するか、写真やビデオを画面内にドラッグ&ドロップすると添付して送信できる。

4 オーディオメッセージを送信する

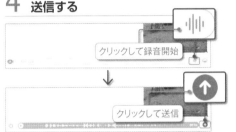

クリックして録音開始

クリックして送信

メッセージ入力欄右の録音ボタンをクリックすると、音声を録音して送信できる。送信前に再生ボタンをタップして内容を確認することもできる。

5 ステッカーを送信する

ミー文字のステッカーはMacBookでも作成できるが、その他のステッカーを利用するには、iPhoneやiPadで入手して履歴に残すか写真から切り抜いて作成する必要がある

メッセージ入力欄左のアプリボタンから「ステッカー」をクリックすると、最近使ったステッカーや作成したステッカー、ミー文字のステッカーを送信できる。

6 メッセージに動きやエフェクトを加える

背景に花火をアニメーション表示させたり、メッセージを一瞬大きく表示するなどのエフェクトを選択する

メッセージ入力欄左のアプリボタンをクリックして「メッセージエフェクト」を選択すると、吹き出しや背景にさまざまな特殊効果を追加できる。

7 3人上のグループでメッセージをやり取り

複数の宛先を入力

宛先欄に複数の連絡先を入力すれば、自動的にグループメッセージが開始され、ひとつの画面内で複数人と会話できるようになる。

8 特定のメッセージに返信する

右クリックして「返信」をクリック

各メッセージの右クリックメニューから「返信」をクリックすると、返信元のメッセージを引用しつつメッセージを送信でき、話の流れが分かりやすい。

9 よくやり取りする相手を上部に配置する

リストの一番上にドラッグして配置

よくやり取りする相手やグループは、サイドバーの上部にドラッグしておこう。最大9人までリストの一番上に固定表示して素早くアクセスできる。

その他の便利な機能

送信したメッセージを編集する

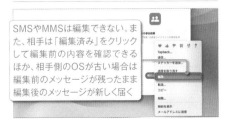

SMSやMMSは編集できない。また、相手は「編集済み」をクリックして編集前の内容を確認できるほか、相手側のOSが古い場合は編集前のメッセージが残ったまま編集後のメッセージが新しく届く

メッセージを送信して15分以内なら、内容を5回まで編集できる。メッセージを右クリックして「編集」を選択しよう。

メッセージの送信を取り消す

SMSやMMSは取り消せない。また、相手側のOSが古い場合も取り消しが反映されない

メッセージを送信して2分以内なら送信取り消しが可能だ。メッセージを右クリックして「送信を取り消す」を選択しよう。

削除したメッセージを復元する

クリックして復元したいメッセージを選択し、「復元」をクリックする

メッセージを誤って削除しても30日以内なら復元できる。メニューバーの「表示」→「最近削除した項目」でメッセージを選択し、「復元」をクリックしよう。

FaceTime
ビデオ通話や音声通話を利用する

高品質なビデオや音声通話を無料で楽しめる

「FaceTime」は、ビデオ通話や音声通話を行えるアプリだ。通話中の映像や音声は非常に高品質で、通話料も一切かからない。Appleデバイス同士での通話はもちろん、一部の機能が制限されるがWindowsやAndroidユーザーともWebブラウザ経由で通話できるので、オンラインミーティングなどに活用しよう。また「SharePlay」機能を利用すれば、通話中の相手と会話しながら同じ映画や音楽を楽しむことも可能だ。

使い始めPOINT

「新規FaceTime」で通話できる相手

FaceTimeを起動すると、「新規FaceTime」と「リンクを作成」という2つのボタンが用意されている。Appleデバイス同士で通話する場合は、「新規FaceTime」をクリックして宛先を入力しよう。宛先が青く表示されていれば、FaceTimeの着信用に設定されているApple IDやiPhoneの電話番号だ。その相手はAppleデバイスなので、お互いにFaceTimeアプリを使ってすべての機能を利用した通話を楽しめる。WindowsやAndroidユーザーと通話したい場合は、「リンクを作成」を利用しよう（P079で解説）。

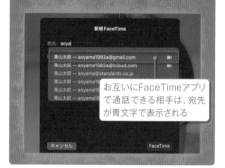

お互いにFaceTimeアプリで通話できる相手は、宛先が青文字で表示される

FaceTimeを利用可能な状態にする

1 Apple IDでサインインする

FaceTime起動時にApple IDでサインインしていないと、サインインを求められる。Apple IDとパスワードを入力してサインインを済ませよう。

2 FaceTimeが利用可能になった

「新規FaceTime」でFaceTime通話を発信したり、「リンクを作成」で招待リンクを送信できるほか、発着信履歴からもFaceTime通話をかけ直せる。

3 発着信アドレスを確認する

FaceTimeの着信用に使うメールアドレスや電話番号にチェック。アドレスを追加する方法はP076を参照

新規通話時の発信元アドレスはここで選択

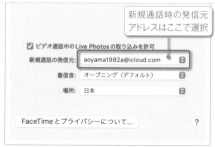

FaceTimeの発着信アドレスは、メニューバーの「FaceTime」→「設定」で確認できる。MacBookで利用するアドレスだけチェックしておこう。

使いこなしヒント

iPhoneやiPadと同時に着信するのを防ぐ

iPhoneやiPadのFaceTimeに、MacBookと同じApple IDを使っていると、FaceTimeの着信音が同時に鳴ってしまう。これを防ぐには、デバイスを選んでFaceTimeアカウントをオフにするか、iPhoneやiPadとは別のメールアドレスをFaceTime発着信アドレスに設定すればよい。

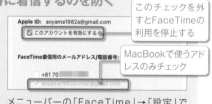

このチェックを外すとFaceTimeの利用を停止する

MacBookで使うアドレスのみチェック

メニューバーの「FaceTime」→「設定」でiPhoneやiPadと異なる着信用アドレスのみチェック。iPhoneやiPadでもそれぞれで使うアドレスだけ選択。着信用アドレスがそれぞれ別になるので、同時に着信することはなくなる。

FaceTimeでビデオ通話や音声通話を行う

1 FaceTime通話を発信する

Appleデバイス同士で通話するには、「新規FaceTime」をクリック。続けて宛先欄を入力し、「FaceTime」ボタンをクリックすると発信できる。

2 FaceTimeオーディオに切り替えて発信する

映像を表示したくない場合は、「FaceTime」ボタン右の「∨」をクリックし、「FaceTimeオーディオ」に切り替えてからクリックして発信しよう。

3 かかってきた通話に応答する

相手からFaceTime通話がかかってきた場合は、FaceTimeが自動的に起動する。「応答」をクリックで応答、「拒否」をクリックで応答拒否できる。

4 通話中画面のメニューと機能

通話中に画面内にポインタを置くと、各種メニューボタンが表示される。「×」ボタンをクリックすると通話を終了する。

5 グループ通話を開始する

通話中にメニューボタン左端のサイドバーボタンをクリックし、続けて「参加者を追加」の「+」ボタンで参加者を追加していくと、グループ通話を行える。

6 グループ通話中の画面

グループ通話は最大32人まで追加できる。各参加者は画面上にタイルで表示され、話している参加者のタイルが自動的に大きく強調表示される。

SharePlayで動画や音楽を同時に楽しむ

1 FaceTime通話中に対応アプリを起動

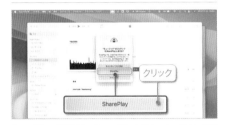

FaceTime通話中に、ミュージックやApple TVなどの対応アプリで再生を開始すると、「SharePlayしますか?」と表示されるので「SharePlay」をクリック。

2 参加者側の端末でSharePlayに参加する

通話相手もSharePlayに参加すると動画や音楽を同時に視聴できる。ただしコンテンツによっては、参加者全員がサブスクリプションに登録していたりコンテンツを購入済みの必要がある。

3 SharePlayの再生を管理する

SharePlay再生中は、ステータスメニューにあるFaceTimeのアイコンがSharePlayのアイコンに変わる。クリックすれば、現在再生中の内容を確認できる。

WindowsやAndroidユーザーとも通話する

使いこなしヒント

WindowsやAndroidユーザーと通話したい場合は、「リンクを作成」をクリック。メールやメッセージで招待リンクを送ろう。招待された相手はリンクをクリックすると、Webブラウザからログイン不要で通話に参加できる。

招待リンクを送信したら、「今後の予定」欄に作成したFaceTime通話のリンクが表示されるのでダブルクリック。続けて「参加」ボタンをクリックして通話待機状態にする。招待リンクからの参加要求を許可すると通話が開始される。

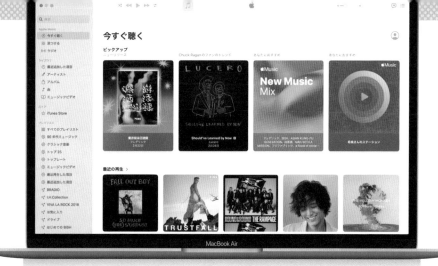

ミュージック

さまざまな曲を再生したり管理する

Apple Musicも楽しめる
標準音楽プレイヤー

　MacBookで音楽を楽しむには、「ミュージック」アプリを使おう。MacBook内に保存されている曲だけでなく、Apple Musicの曲やiTunes Storeで購入した曲なども、まとめて一元管理できる。また、Apple Musicの利用中は、「今すぐ聴く」や「見つける」メニューで好みの曲を発見したり、iCloudを経由してiPhoneやiPadとライブラリを同期することも可能だ（P120で詳しく解説）。Apple Musicへの登録方法と使い方もあわせて紹介する。

使い始めPOINT

「ライブラリ」画面で
すべての曲を管理できる

　ミュージックアプリでは、Apple Musicから追加した曲やiTunes Storeで購入した曲、CDから取り込んだ曲を「ライブラリ」画面でまとめて管理できる。また、Apple MusicやiTunes Storeの曲は、ダウンロードして保存しなくてもストリーミング再生が可能。それらの曲も、MacBook内に保存された曲ファイルと同様に扱うことができる。

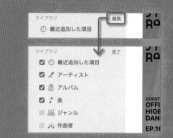

　すべての曲はサイドバーの「ライブラリ」で確認できるので、「アーティスト」や「アルバム」などの項目から聴きたい曲を探そう。なお、「ライブラリ」の上にカーソルを置いて「編集」をクリックすると、「ライブラリ」に表示させる項目を選択できる。

ミュージックの基本操作

1 ミュージックアプリに
音楽ファイルを追加する

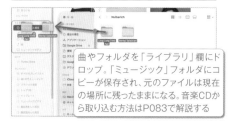

曲やフォルダを「ライブラリ」欄にドロップ。「ミュージック」フォルダにコピーが保存され、元のファイルは現在の場所に残ったままになる。音楽CDから取り込む方法はP083で解説する

MacBook内にあるMP3ファイルなどをミュージックアプリで管理するには、Finderからミュージックアプリの「ライブラリ」欄にドラッグ&ドロップすればよい。

2 聴きたい曲を
探して再生する

曲を探す

ダブルクリックで再生

「ライブラリ」欄の「アーティスト」や「アルバム」から聴きたい曲を探し、曲名をダブルクリックすると再生できる。

3 シャッフル再生と
リピート再生

シャッフルボタン

リピートボタン。もう一度クリックで再生中の曲のみリピート

上部メニューの「シャッフル」をオンにするとランダムな曲順で再生される。「リピート」をオンにすると、現在の再生リストまたは再生曲のみをリピート再生する。

4 再生中の曲の
歌詞を表示する

歌詞ボタン

上部メニューの「歌詞」ボタンをクリックすると歌詞を表示できる。一部の曲は、カラオケのように曲の再生に合わせて歌詞がハイライト表示される。

5 次に再生する曲を
変更する

次に再生ボタン

ドラッグして再生順を変更したり、「ー」をクリックで再生リストから削除できる

上部メニューの「次に再生」ボタンをクリックすると、再生予定の曲のリストが表示される。曲の再生順を変更したり、再生リストから削除することも可能だ。

6 ミュージックアプリの
さまざまな操作方法

メニューバーの再生ボタン

メニューバーの「ウインドウ」→「ミニプレーヤー」でミニプレイヤーを表示できる

ミュージックアプリをDockにしまった状態でも、メニューバーの再生中ボタンやTouch Bar、ミニプレイヤーを使えば、再生中の曲の操作が可能だ。

プレイリストを作成する

1 新規プレイリストをクリック

好きな曲だけをまとめたプレイリストを作成するには、まずサイドバーのプレイリスト欄を右クリックし、「新規プレイリスト」をクリック。

2 名前を付けてプレイリストを作成

作成したプレイリストに、「お気に入り」「作業用」といった名前を付けておこう。サイドバーのプレイリスト一覧に追加される。

3 好きな曲をドラッグして登録

ライブラリ画面でプレイリストに登録したい曲を選択したら、そのまま作成したプレイリストにドラッグしよう。プレイリストに曲が追加されていく。

4 プレイリストを再生する

サイドバーからプレイリストを開くと、お気に入りの曲だけを好みの曲順で再生できる。再生順はドラッグ&ドロップで変更可能だ。

5 プレイリストから曲を削除する

プレイリストから曲を削除したい時は、削除したい曲を選択して右クリック。「プレイリストから削除」をクリックすればよい。

6 プレイリストを削除する

プレイリスト自体を削除するには、サイドバーのプレイリストを選択して右クリック。「ライブラリから削除」をクリックすればよい。

iTunes Storeで曲を購入する

1 iTunes Storeをサイドバーに表示する

ミュージックではiTunes Storeでの楽曲の購入も可能だ。サイドバーにiTunes Storeが表示されていないなら、「ミュージック」→「設定」→「一般」で「iTunes Store」にチェックを入れよう。

2 iTunes Storeで曲を購入する

サイドバーで「iTunes Store」をクリックしてiTunes Storeを開き、欲しい曲やアルバムを探す。価格部分をクリックすれば購入できる。

3 iTunes Store内をキーワード検索する

iTunes Store内の曲を検索するには、左上の検索欄にキーワードを入力して検索し、右上のタブを「iTunes Store」に切り替えよう。

使いこなしヒント

コンプリート・マイ・アルバム機能を使う

アルバム中の数曲のみをすでに購入済みで、残りの曲も購入したい時は「コンプリート・マイ・アルバム」機能を使おう。アルバムは1曲数百円程度で購入できるが、1曲ずつ追加購入していくと合計金額がアルバム価格を越えてしまうことがある。しかし、このコンプリート・マイ・アルバム機能を使えば、差額の支払いだけで完全なアルバムをダウンロードできるのだ。

すでに1曲購入済みなので、「コンプリート・マイ・アルバム」と表示され、1曲分を引いた価格でアルバムを購入できる

Apple Musicに登録する

1 Apple Musicに登録する

同じアカウントでも複数端末で同時再生したい場合は、ファミリープランへの加入が必要

クリックして登録

定額で国内外の約1億曲が聴き放題になるApple Musicには、メニューバーの「アカウント」→「Apple Musicに登録」から登録しよう。初回登録時は1ヶ月無料で試用できる。契約プランは、月額1,080円（税込）の「個人」、ファミリー共有機能で6人まで利用できる「ファミリー」、在学証明が必要な「学生」などから選択できる。

2 無料期間終了後に自動で課金されるのを防ぐ

サブスクリプションをキャンセルする

クリックして自動更新をオフ。なお、初回の無料トライアル期間中にキャンセルすると、Apple Musicは即座に利用できなくなる。有料で利用中にキャンセルすると、有効期限まではApple Musicを利用できる

無料期間の終了後に自動で課金されるの防ぐには、「App Store」アプリでサイドバー下部のユーザーボタンをクリックし、「アカウント設定」をクリック。続けて管理欄にある「管理」ボタンをクリックしよう。Apple Musicの「編集」→「サブスクリプションをキャンセルする」でキャンセルできる。

Apple Musicを利用する

1 Apple Musicの設定を確認する

Apple Musicの曲をライブラリに追加するには、メニューバーの「ミュージック」→「設定」→「一般」で、「ライブラリを同期」にチェックしておく必要がある。また、「自動ダウンロード」にもチェックしておくと、Apple Musicの曲をライブラリに追加した際に、自動でダウンロード保存するようになる。

2 コンピュータの認証を済ませる

クリックして認証する。1つのApple IDで認証できるコンピュータは5台まで

Apple Musicで曲をダウンロードしたり、iTunes Storeで購入済みの曲を再生するには、コンピュータの認証を済ませる必要がある。メニューバーの「アカウント」→「認証」→「このコンピュータを認証」をクリックし、Apple IDとパスワードを入力して認証しておこう。

3 Apple Musicの曲をカテゴリから探す

クリック

カテゴリを選択

左上の検索欄をクリックすると、「J-Pop」や「洋楽」、「ランキング」などさまざまなカテゴリでApple Musicの曲を探せる。

4 Apple Musicの曲をキーワード検索する

キーワードで検索

Apple Music

左上の検索欄に曲名やアーティスト名を入力し、右側で「Apple Music」をクリックすると、Apple Musicの曲をキーワード検索できる。

5 歌詞の一部でも検索できる

歌詞：「晴れた空に種を蒔こう」

歌詞の一部を入力して検索すると、そのフレーズを歌詞に含む曲が表示される。「歌詞：○○○○」と表示されているものが、歌詞でヒットした楽曲になる。

6 Apple Musicの曲をライブラリに追加

クリックしてライブラリに追加

＋ 追加

Apple Musicで検索した曲やアルバムをクリックして開き、「追加」や「＋」ボタンをクリックすると、このアルバムや曲をライブラリに追加できる。

7 ライブラリに追加した曲をダウンロードする

クリックしてダウンロード

↓

「自動ダウンロード」を無効にしている場合は、ダウンロードボタンをクリックすることでMacBook内にダウンロードでき、オフラインでも再生できるようになる。

8 追加したApple Musicの曲を削除する

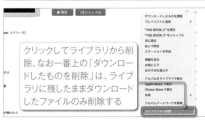

クリックしてライブラリから削除。なお一番上の「ダウンロードしたものを削除」は、ライブラリに残したままダウンロードしたファイルのみ削除する

アルバムや曲の「…」ボタンをクリックし、「ライブラリから削除」をクリックすると、この曲はライブラリから削除される。

Apple Musicで使える便利な機能

1 「今すぐ聴く」画面で好みの曲に出会う

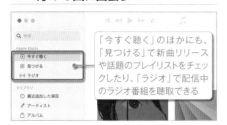

「今すぐ聴く」のほかにも、「見つける」で新曲リリースや話題のプレイリストをチェックしたり、「ラジオ」で配信中のラジオ番組を聴取できる

「今すぐ聴く」を開くと、好みのジャンルやアーティスト情報に沿った、おすすめの曲やプレイリスト、ニューアルバムなどを提案してくれる。

2 アーティストや曲をお気に入りに登録

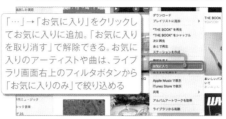

「…」→「お気に入り」をクリックしてお気に入りに追加。「お気に入りを取り消す」で解除できる。お気に入りのアーティストや曲は、ライブラリ画面右上のフィルタボタンから「お気に入りのみ」で絞り込める

好きなアーティストやアルバム、曲をお気に入りに追加しておくと、「今すぐ聴く」のおすすめ精度がアップしたり、新曲のリリースが通知されるようになる。

3 好みでない曲をおすすめされないようにする

「…」→「おすすめを減らす」をクリックしておすすめを減らす。"おすすめを減らす"を取り消す」で解除できる

好みではないアーティストやアルバム、曲を「おすすめを減らす」に追加しておけば、「今すぐ聴く」で似た曲をおすすめされる頻度を減らすことができる。

4 似ている曲を次々に自動再生

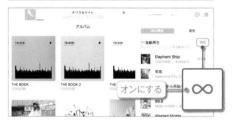

オンにする

Apple Musicを利用中に、再生リストの自動再生ボタン（∞マーク）をオンにしておけば、現在再生中の曲に似た曲を探して自動で再生リストに追加してくれる。

5 発売前の新作をライブラリに追加

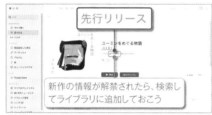

先行リリース

新作の情報が解禁されたら、検索してライブラリに追加しておこう

リリース前のアルバムは「先行リリース」と表示される。「追加」でライブラリに追加しておくと、正式リリース後に通知され、先行配信曲以外の曲も追加される。

6 アーティストのページをチェックする

配信中の全アルバムやシングル、ミュージックビデオに加え、同じタイプのアーティストもチェックできる

アーティスト名で検索して「アーティスト」欄の検索結果をクリックすると、そのアーティストの配信コンテンツを一覧できるページを表示できる。

音楽CDの曲をミュージックに取り込む

1 音楽CDをセットして読み込む

「はい」をクリック

手持ちの音楽CDの曲をミュージックアプリに取り込むには、まず外付けの光学ドライブをMacBookに接続しよう。光学ドライブに音楽CDを挿入すると、「ミュージックライブラリに読み込みますか?」と確認メッセージが表示されるので、「はい」をクリックする。

2 ライブラリに曲が追加される

音楽CD内の曲がミュージックに取り込まれ、ファイルとして変換されていく。すべての曲に緑色のチェックマークが付くまでしばらく待とう。なお、曲名やアーティスト名なども自動的に設定される。読み込みが完了したら、ライブラリを確認しよう。音楽CDの曲が追加されているはずだ。

使いこなしヒント

音楽CDの読み込み設定を変更する

メニューバーの「ミュージック」→「設定」で「ファイル」を開き、「読み込み設定」をクリックすると、音楽CDを読み込む際のファイル形式や音質を変更できる。標準設定は音質とファイルサイズのバランスがいい「AACエンコーダ」の「iTunes Plus」(ステレオ256kbps)に設定されているが、汎用性の高い「MP3エンコーダ」や、音質が劣化しない「Apple Losslessエンコーダ」も選択できる。

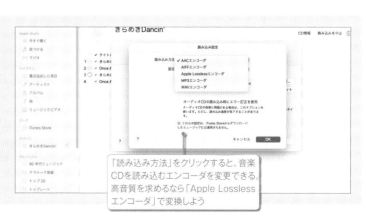

「読み込み方法」をクリックすると、音楽CDを読み込むエンコーダを変更できる。高音質を求めるなら「Apple Losslessエンコーダ」で変換しよう

写真

すべての写真やビデオを管理する

編集機能も備えた写真管理アプリ

MacBookでの写真管理は、すべて「写真」アプリにまかせよう。デジカメやiPhoneをケーブルで接続すれば、簡単に写真やビデオを読み込める。読み込んだ写真やビデオは、撮影日や撮影地ごとに自動で分類され、人物やメディアの種類からも素早く探し出すことができるようになる。また高度な編集機能も用意されており、色調補正やフィルタの適用、傾き補正や切り抜きも行える。「iCloud写真」での同期についてはP122で解説する。

iCloud写真での同期についてはP122で解説する。

使い始めPOINT

写真アプリの仕組みを理解する

写真アプリで写真やビデオを管理するには、一度写真アプリにファイルを読み込む必要がある。写真アプリに読み込んだ写真やビデオのデータは、「ピクチャ」フォルダにある「Photos Library photoslibrary」というひとつのファイルにまとめられているが、中身を開いてもファイル名や順番がバラバラなので、Finderから目的の写真を探し出すのは難しい。写真を選んでフォルダに保存したり他のアプリで使いたい場合は、写真アプリのライブラリからドラッグ&ドロップすればよい。

Finderのメニューバーで「移動」→「ホーム」→「ピクチャ」フォルダを開くと、写真アプリで管理する写真やビデオをまとめた「Photos Library photoslibrary」ファイルが見つかる。

写真の読み込みと閲覧

1 デジカメなどの写真を読み込む

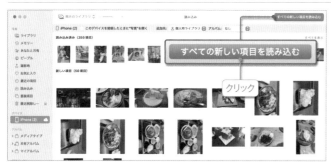

すべての新しい項目を読み込む

クリック

まずは写真アプリで管理できるように、写真やビデオを読み込もう。デジカメやiPhoneをケーブルで接続すると、サイドバーの「デバイス」欄にデバイス名が表示されるので、これをクリック。ツールバーの「すべての新しい写真（項目）を読み込む」をクリックすれば、接続したデバイス内の写真を追加できる。

2 MacBook内の写真やビデオを読み込む

ドラッグ&ドロップで追加。逆に写真アプリからフォルダやデスクトップへ、ドラッグ&ドロップでコピーすることも可能

MacBook内の写真やビデオは、Finderから写真アプリ内にドラッグすれば読み込める。コピーして追加されるので、元の写真やビデオはフォルダに残ったままとなる。

3 写真やビデオを閲覧する

表示方法を年別／月別／日別／すべての写真に切り替える

ダブルクリックすると写真やビデオが開く

サイドバーの「ライブラリ」画面で上部メニューの「すべての写真」を選択すると、全ての写真やビデオが撮影順に一覧表示される。

4 写真にキャプションやキーワードを追加する

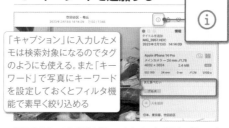

「キャプション」に入力したメモは検索対象になるのでタグのようにも使える。また「キーワード」で写真にキーワードを設定しておくとフィルタ機能で素早く絞り込める

写真を開いて上部「i」ボタンをクリックすると、「キャプションを追加」で写真にメモしたり、「キーワードを追加」で写真にキーワードを設定できる。

💡 使いこなしヒント

フィルタ機能で写真を絞り込む

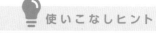

「すべての写真」などの右上にある「フィルタ」をクリックすると、編集済みやキーワードを設定した写真のみを抽出できる。

写真アプリの基本的な操作

1 写真やビデオを削除したり非表示にする

> 1枚の写真を非表示
> 1枚の写真を削除

写真を選択して右クリックメニューから「写真を削除」や「写真を非表示」をクリックすると、写真を削除したりライブラリから非表示にできる。

2 削除した写真やビデオを復元する

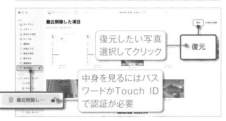

> 最近削除した項目
> 復元したい写真選択してクリック
> 復元
> 中身を見るにはパスワードかTouch IDで認証が必要
> 最近削除し…

削除した写真やビデオは「最近削除した項目」に最大30日間保存されている。写真を選択して右上の「復元」をクリックすれば復元できる。

3 非表示アルバムを表示する

> 非表示
> メニューバーの「表示」→「非表示アルバムを表示」で表示。中身を見るにはパスワードかTouch IDで認証が必要
> 右クリックメニューで「非表示を解除」を選択するとライブラリに再表示できる
> 2枚の写真の非表示を解除

非表示にした写真やビデオは、メニューバーの「表示」→「非表示アルバムを表示」でサイドバーに「非表示」アルバムを表示させて開けば確認できる。

4 最近削除した項目と非表示アルバムのロック

> ☑祝日イベントを表示
> ☑メモリーの通知を表示
> メニューバーの「写真」→「設定」→「一般」で「Touch IDまたはパスワードを使用」のチェックを確認
> 共有: 位置情報を含める
> メモリー: 横 16:9
> プライバシー ☑Touch IDまたはパスワードを使用

「最近削除した項目」と「非表示」アルバムは標準ではロックされており、中身を表示するのに認証が必要だ。ロックされていない場合は設定を確認しよう。

5 メディアタイプから写真やビデオを探す

> メディアタイプ
> ダブルクリックでこの種類の写真やビデオのみ一覧表示
> メディアタイプ

アルバム欄の「メディアタイプ」を開くと、ビデオ、セルフィー、Live Photos、ポートレートなど、種類別に写真やビデオを探すことができる。

6 強力な検索機能を活用する

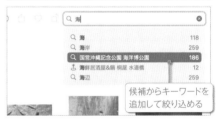

> 🔍海
> 🔍 海　　118
> 🔍 海岸　　259
> 🔍 国営沖縄記念公園 海洋博公園　186
> 🔍 海鮮居酒屋&鍋 桐屋 水道橋　12
> 🔍 海辺　　259
> 候補からキーワードを追加して絞り込める

右上の検索欄では、「ラーメン」「海」など被写体の内容をキーワードにして写真を検索できる。複数キーワードの組み合わせも可能だ。

写真やビデオを加工、編集する

1 編集モードで写真を編集する

> クリックで編集前と後の画像を比較できる
> 「調整」で色調補正やレタッチ、「フィルタ」で各種フィルタの適用、「切り取り」で傾き補正やトリミングが可能

写真を開いて右上の「編集」をクリックすると、上部メニューで調整やフィルタ、切り取りなどの編集を行える。右上の「完了」で編集が反映される。

2 編集した写真はいつでも元に戻せる

> オリジナルに戻す
> クリックで編集前に戻せる

編集を加えた写真を開いて「編集」をクリックし、左上の「オリジナルに戻す」をクリックすると編集前のオリジナル写真に戻すことができる。

3 編集モードでビデオを編集する

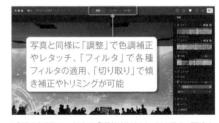

> 写真と同様に「調整」で色調補正やレタッチ、「フィルタ」で各種フィルタの適用、「切り取り」で傾き補正やトリミングが可能

ビデオを開いて右上の「編集」をクリックすると、写真と同様に調整やフィルタ、切り取りなどの編集を行える。また編集したビデオはいつでも元に戻せる。

4 ビデオの不要な部分をカットする

> 左右の黄色い枠をドラッグして、開始位置と終了位置を指定

ビデオの場合、不要な部分を削除するカット編集も行える。下部のタイムラインで切り取り範囲を指定しよう。切り取り範囲は新規クリップとして保存できる。

5 写真の被写体を切り抜く

> 「被写体をコピー」や「被写体を共有」にカーソルを合わせると切り抜き範囲が光る。切り抜き範囲は自動で判定され自分で調整できない

写真を開いて右クリックし、「被写体をコピー」や「被写体を共有」をクリックすると、人物や建築物、図形などが自動で切り抜かれコピーや共有ができる。

6 写真の情報を確認、編集する

> ダブルクリックして日付情報を修正
> 撮影場所を他の住所に書き換えできる。マップ上のピンをドラッグして調整してもよい

写真を開いて「i」ボタンをクリックし、撮影日時をダブルクリックすれば日付情報を調整できる。またマップ上部の撮影場所も他の住所を入力して変更できる。

連絡先

友人や仕事先の電話番号や住所を管理

登録した連絡先は他のアプリでも利用できる

MacBookで連絡先を管理するには、「連絡先」アプリを利用する。iPhoneやAndroidスマートフォンで登録済みの連絡先があるなら、まず連絡先を同期させて

から使い始めよう。連絡先に登録済みの電話番号やメールアドレスは、FaceTimeやメールなど他のアプリからも利用できる。連絡先からメールを送ったり、FaceTimeを発信することも可能だ。また「仕事」や「プライベート」などリストを作成しておけば、連絡先を振り分けて整理できる。

使い始めPOINT

Androidスマートフォンと同期するには?

Androidスマートフォンを使っているなら、連絡先はGoogleアカウントに保存されているはずだ。この連絡先をMacBookでも利用するには、メニューバーの「連絡先」→「アカウントを追加」からGoogleアカウントを追加して、「連絡先」にチェックすればよい。iPhoneと同期する場合は、iCloudで「連絡先」にチェックを入れておけば自動で同期して同じ連絡先を利用できる(P067で解説)。

「連絡先」→「アカウントを追加」からGoogleアカウントを追加し、「連絡先」にチェック

連絡先を作成、編集する

1 「+」ボタンから新規連絡先を作成

クリック。新規リストもここから作成できる

連絡先のウインドウ下部にある「+」ボタンをクリックし、「新規連絡先」を選択しよう。新規連絡先の作成画面が表示される。

2 名前や電話番号などを入力する

クリックして完了

名前やフリガナ、電話番号、メールアドレス、住所などの連絡先情報を入力していこう。入力を終えたら、「完了」をクリック。

3 作成した連絡先を編集する

連絡先を選択　　クリック

連絡先リストから連絡先を選択し、ウインドウの下部にある「編集」をクリックすると、連絡先情報を修正したり、新しい情報を追加できる。

4 不要な連絡先を削除する

クリック

連絡先を削除するには、連絡先の右クリックメニューから「カードを削除」をクリックすればよい。または連絡先を選択して「delete」キーを押せば削除できる。

5 連絡先をリストに振り分ける

作成したリストにドラッグ&ドロップ

「+」ボタンから「新規リスト」で「仕事」「プライベート」などのリストを作成しておけば、連絡先をドラッグ&ドロップして分類できる。

使いこなしヒント

デフォルトの連絡先アカウントを変更する

複数のアカウントを使用する場合、新しい連絡先はデフォルトのアカウントに追加される。Androidスマートフォンを使っていて、連絡先はGoogleアカウントですべて管理しているなら、メニューバーの「連絡先」→「設定」→「一般」タブで、「デフォルトアカウント」をGoogleアカウントに変更しておこう。

JUL 17 カレンダー

スケジュールを効率的に管理する

iCloudカレンダーやGoogle カレンダーと同期して使おう

　MacBookでスケジュールを管理するには、「カレンダー」アプリを利用する。日、週、月、年別で表示を切り替えでき、移動時間の自動計算や移動時間を考慮した通知など、さまざまな便利機能を備えているが、作成したイベントをMacBook内だけに保存しているのでは、せっかくの機能を活かしきれない。iPhoneやAndroidスマートフォンでも確認できるように、「iCloudカレンダー」や「Googleカレンダー」と同期させて使うのがおすすめだ。

使い始めPOINT

Googleカレンダーと同期するには?

スケジュール管理にGoogleカレンダーを使っているなら、MacBookのカレンダーとも同期させて利用しよう。メニューバーの「カレンダー」→「アカウントを追加」からGoogleアカウントを追加して、「カレンダー」にチェックすればよい。iPhoneやiPadでは、「設定」→「カレンダー」→「アカウント」→「アカウントを追加」でGoogleアカウントを追加し、「カレンダー」をオンにすればGoogleカレンダーと同期できる。

「カレンダー」→「アカウントを追加」からGoogleアカウントを追加し、「カレンダー」にチェック

スケジュールを作成、管理する

1 カレンダーを追加する

クリックで新規カレンダーを追加。Googleカレンダーはこの方法で追加できないので、http://www.google.com/calendarで作成しよう

メニューバーの「ファイル」→「新規カレンダー」→「iCloud」をクリックし、あらかじめ「仕事」や「プライベート」といったカレンダーを作成しておこう。

2 表示するカレンダーを選択

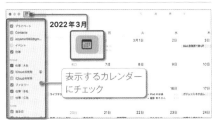

表示するカレンダーにチェック

カレンダーを起動し、左上のカレンダーリストボタンをクリックすると、表示するカレンダーを選択できる。必要なものだけチェックしておこう。

3 表示モードを切り替える

クリックして表示モードを切り替え

カレンダー上部のメニューで、日、週、月、年別の表示モードに変更できる。自分で予定を把握しやすい表示形式に切り替えておこう。

4 新規イベントを作成する

イベント名や開始、終了時間を入力していこう。場所を設定すると、勤務先などからの移動時間を確認したり、移動開始前の通知なども設定できる

月表示の場合は、予定を作成したい日付をダブルクリック。日や週表示の場合は、予定を作成する時間帯をドラッグすると、新規イベントを作成できる。

5 イベントの作成先カレンダーを選択

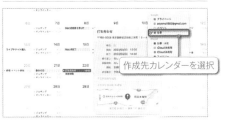

作成先カレンダーを選択

イベント名入力欄の右にあるボタンをクリックし、このイベントをどのアカウントのどのカレンダーに作成するかを選択しておこう。

6 作成したイベントを編集する

作成済みのイベントをダブルクリック

作成済みのイベントをダブルクリックすると、予定の詳細が表示され、各項目をクリックして内容を変更できる。右クリックメニューから予定の削除も可能。

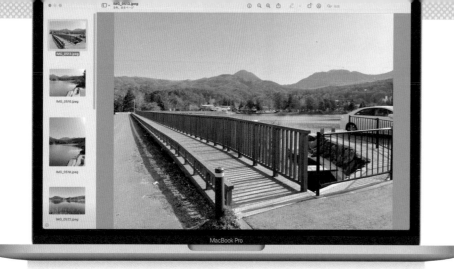

ダブルクリックしても
プレビューで開かない場合

画像やPDFをダブルクリックした際に、別の
アプリが起動する場合は、関連付けが変更
されている。画像やPDFのファイルを右ク
リックして「情報を見る」をクリック。「このア
プリケーションで開く」で「プレビュー」を選
択し、「すべてを変更」をクリックすれば、プレ
ビューで開くようになる。逆に画像やPDFを
別のアプリで開きたい時は、同様の手順で
「このアプリケーションで開く」から使いたい
アプリを選択すればよい。

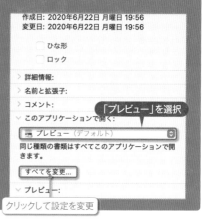

プレビュー

十分な機能を備えた画像&PDF閲覧アプリ

編集機能も備える
標準ビューア

画像やPDFファイルを表示するための
アプリが「プレビュー」だ。標準状態では、
画像やPDFファイルをダブルクリックす
ると、このプレビューアプリが起動する。

ファイルの閲覧だけでなく編集機能も備
えており、画像の場合はトリミングやス
ケッチ、色調補正などが可能。ファイル形
式を変換して保存することもできる。
PDFの場合は注釈を書き込んだりメモを
追加できるほか、ページ順の入れ替えや
結合もできる。

画像やPDFファイルの表示と編集

1 プレビューで画像を開く

画像ファイルをダブルクリックすると、プレビューで画像
が表示される。複数画像を選択してダブルクリックした
場合は、サイドバーで一覧表示される。

2 マークアップツールで画像を編集する

画像を開いて上部のマークアップボタンをクリックする
と、マークアップツールバーが表示され、画像のトリミン
グやカラーの調整など編集を行える。

3 プレビューでPDFを開く

PDFファイルをダブルクリックすると、プレビューで
PDFが表示される。サイドバーでPDFのページ一覧を
確認できる。

4 PDFに注釈を書き込む

PDFを開いて上部のマークアップボタンをクリックする
と、マークアップツールバーが表示され、PDFに注釈を
書き込むなどの編集を行える。

5 PDFのページ順を入れ替える

サイドバーのサムネイルをドラッグするとPDFのペー
ジ順を入れ替えできる。別のPDFからサムネイルをド
ラッグして結合することも可能だ。

 使いこなしヒント

内容をさっと確認する
ならクイックルック

画像やPDFの内容をさっと確認したいだけな
ら、アプリを起動せずにファイルの中身を表示
できる、「クイックルック」機能（P029で解説）
がおすすめだ。ファイルを選択した状態でス
ペースキーを押すだけで、画像やPDFの内容
が表示される。マークアップで編集を加えたり、
プレビューで開き直すこともできる。

参加対象と権限を設定する

ツールバーの共有ボタンをクリックして「参加依頼された人のみが編集できます。」の部分をクリックすると、下にメニューが開いて参加対象と権限を変更できる。不特定多数のユーザーに参加してもらう場合は、参加対象を「リンクを知っている人はだれでも」に変更し、「リンクで参加を依頼」をクリックしてリンクを生成した上で、「リンクをコピー」をクリックしてコピーしたリンクを知らせればよい。参加者に内容を見せるだけで編集して欲しくない場合は、権限を「閲覧のみ」に変更してから共有しよう。

参加対象と権限をそれぞれ変更できる

フリーボード

複数人で同時に書き込めるホワイトボード

アイデア帳やオンライン会議に活用しよう

テキストや画像、付箋、ファイルなどを自由に配置できるホワイトボードアプリが「フリーボード」だ。ボードは無限に拡大でき、思いついたアイデアを次々と書き足したり、画像や資料を貼り付けてざっと整理したいときに活躍する。また、他のMacやiPhone、iPadユーザーと最大100人で共同作業することも可能だ。FaceTimeでのオンライン会議と同時に利用すれば、参加者全員で同じボードを見ながら会話ができる。

ボードを作成し書き込みや共有を行う

1 iCloudで同期を有効にしておく

オンにするとiPhoneやiPadで同じボードを編集できる

「システム設定」→「Apple ID」→「iCloud」→「その他のアプリを表示」をクリックし、「フリーボード」をオンにしておこう。iPhoneやiPadと同期できる。

2 新しいボードを作成する

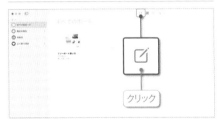

クリック

フリーボードを起動し、ツールバーの「新規ボード」ボタンをクリックすると、新しいボードを作成できる。

3 ボードにテキストやファイルを追加する

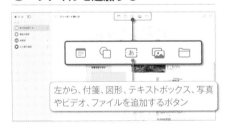

左から、付箋、図形、テキストボックス、写真やビデオ、ファイルを追加するボタン

ツールバーの各種メニューボタンをクリックすると、テキストや図形、写真やビデオ、付箋、PDFなどのファイルを自由に挿入できる。

4 オブジェクトの操作とメニュー

追加したテキストボックスや付箋を選択すると、ドラッグで移動したりサイズを変更できるほか、表示されるメニューでカラーやフォントも変更できる。

5 ボードを他のユーザーと共有する

メッセージやメールで送信する。共同編集できるのはMacやiPhone、iPadユーザーのみで、Androidユーザーとは共有できない

ツールバーの共有ボタンからメッセージやメールで参加依頼を送信し、相手が参加すると同じボードを他のユーザーと共同編集できる。

6 共有ボードを管理する

クリック

共有中のボードは、ツールバーの共同制作ボタンから「共有ボードを管理」をクリックすると、あとからでも参加対象や権限を変更できる。

その他の標準アプリ

Appleならではの洗練されたツールを使ってみよう

MacBookには、これまで解説してきたアプリの他にも、さまざまなアプリが最初からインストールされている。普段は使わなくても、いざという時に便利なアプリが多数用意されているので、一度確認してみるといいだろう。ここでは、残りの主な標準アプリをまとめて紹介するが、環境によってはインストールされていないアプリもあるので、その場合はApp Storeで探してみよう。なお、標準アプリが消えるか破損した場合、PagesやNumbers、Keynote、iMovie、GarageBandなど一部のアプリはApp Storeから再インストールできる。その他の標準アプリはmacOSを再インストール（P143で解説）することで復元が可能だ。

意外と多機能なメモアプリ
メモ

アイデアや買い物リストなどをさっとメモできるアプリ。画面のどこからでも呼び出せるクイックメモ機能も備える。

やるべきことを忘れず通知
リマインダー

覚えておきたいことを登録しておけば、適切なタイミングで通知してくれるタスク管理アプリ。

アラームやタイマー機能も
時計

世界時計やアラーム、ストップウォッチ、タイマー機能も使える時計アプリ。上部のタブで機能を切り替えて使おう。

世界各地の天気をチェック
天気

現在地や指定地域の現在の気象情報と、10日間の天気予報を確認できる天気アプリ。マップで雨雲の動きなども表示できる。

ルート検索もできる地図アプリ
マップ

標準の地図アプリ。車／徒歩／交通機関でのルート検索を行えるほか、スポットの詳細情報なども確認できる。

紛失した端末や友達を探せる
探す

紛失したMacBookの位置を探して遠隔操作したり、家族や友達の現在位置を調べることができるアプリ。

写真をエフェクトで楽しむ
Photo Booth

サーモグラフィーやミラー、X線など、さまざまなエフェクトを適用して、一風変わった写真を撮影できるアプリ。

ラジオやビデオ番組を楽しめる
Podcast

ネット上で公開されている、音声や動画を視聴できるアプリ。主にラジオ番組やニュース、教育番組などが見つかる。

さまざまな映画やドラマを楽しむ
TV

映画やドラマを購入またはレンタルして視聴できるアプリ。サブスクリプションサービス「AplleTV+」も利用できる。

ワンクリックでその場の音声を録音
ボイスメモ

ワンクリックでその場の音声を録音できるアプリ。録音した音声をトリミング編集したり、iCloudで同期することも可能。

手軽に作曲できる音楽制作アプリ
Grageband

さまざまな音源を組み合わせて作曲できる、音楽制作アプリ。分かりやすいインターフェイスで初心者でも扱える。

高クオリティなビデオを作成できる
iMovie

写真やビデオをつなぎ合わせて、オリジナルビデオを作成できるビデオ編集アプリ。タイトルやBGMなども追加できる。

Apple標準の文書作成アプリ
Pages

標準で用意されている、無料の文書作成アプリ。写真や図形を自由に配置して、見栄えのいい書類を作成できる。

Apple標準の表計算アプリ
Numbers

標準で用意されている、無料の表計算アプリ。表やグラフを作成して分かりやすくデータを集計、分析できる。

Apple標準のプレゼンアプリ
Keynote

標準で用意されている、無料のプレゼンアプリ。豊富なテーマやエフェクトで見やすいスライド資料を作成できる。

株価と関連ニュースをチェック
株価

日経平均や登録した指定銘柄の、株価チャートと詳細を確認できるアプリ。主なビジネスニュースも確認できる。

電子書籍を購入して読める
ブック

電子書籍リーダー&ストアアプリ。キーワード検索やランキングから、電子書籍を探して購入できる。手持ちのEPUBも閲覧可能。

辞書などで単語を調べる
辞書

国語、英和／和英、Apple用語、Wikipediaなどで単語を調べられる辞書アプリ。他のアプリやWebページからも調べられる。

関数計算や単位変換も可能
計算機
電卓アプリ。四則演算だけでなく、メニューから関数電卓に切り替えたり、単位換算や為替レートの変換も行える。

Homekit対応機器を一元管理する
ホーム
「照明を点けて」「電源をオンにして」など、Siriで話しかけて家電を操作する「HomeKit」を利用するためのアプリ。

便利な音声アシスタント
Siri
マイクで話しかけることで、質問に応えてくれたり、必要な情報を探したり、アプリを操作してくれる音声アシスタント。

編集も可能なメディアプレイヤー
QuickTime Player
ビデオや音声を再生できるメディアプレイヤー。ビデオを編集したり、MacBookやiPhone、iPadの画面収録も可能。

軽快に動作するエディタ
テキストエディット
文章やプログラミング言語の入力に特化したテキストエディタ。リッチテキストやHTMLファイルなども作成、編集できる。

デスクトップに付箋を貼る
スティッキーズ
デスクトップに付箋のようにメモを貼れるアプリ。ToDoやちょっとしたメモなどを入力して表示させておこう。

バックアップを作成、復元する
Time Machine
システムファイル、アプリ、音楽、写真、メール、書類などを含む、MacBook全体のバックアップを作成できる。

さまざまなフォントを管理する
Font Book
標準のフォント管理アプリ。フォントをインストールして使えるようにしたり、プレビューを確認できる。

カメラやiPhoneから写真を転送
イメージキャプチャ
デジタルカメラやiPhone、iPadなどの他のデバイスから、写真やビデオをMacBookの好きな場所に取り込めるアプリ。

複数の操作を自動化する
Automater
いつも行う繰り返しの操作を登録しておくことで、ボタン1つで自動実行できるようになる自動化アプリ。

方程式からグラフを作成する
Grapher
方程式から2次元や3次元のグラフを作成できるソフト。グラフから3Dアニメーションを作成することもできる。

別のMacの画面を共有する
画面共有
ネットワーク上の別のMacの画面を表示したり制御できる。Appleシリコン搭載機種のみ「高パフォーマンス」接続が可能。

プリンタとプリントジョブを管理
プリントセンター
使用中のプリンタとプリントジョブが表示され、印刷を一時停止したり再開やキャンセルを行える。

MacBookにデータを移行
移行アシスタント
別のMacやWindows PC、Time Machineバックアップ、ディスクから、このMacBookに各種データを転送するツール。

コマンド入力で操作する
ターミナル
WindowsにおけるPowerShellとほぼ同じで、コマンドを入力してMacBookの操作や設定を行うためのツール。

プロセスの稼働状況を確認
アクティビティモニタ
Windowsにおけるタスクマネージャとほぼ同じで、MacBookで現在起動中のプロセスやCPU使用率などを確認できる。

動作ログを確認する
コンソール
MacBookのさまざまな動作ログが収集され、不正アクセスの痕跡を探したり、クラッシュレポートを確認できる。

あらゆるログイン情報を管理
キーチェーンアクセス
さまざまなアプリやサービスのログイン情報を保管するアプリ。パスワードを確認したりログイン情報を追加できる。

MacBookのスペックを調べる
システム情報
MacBookのスペックやハードウェア構成、ネットワークやソフトウェア周りの詳細な情報を確認できるツール。

スクリプトで作業を効率化
スクリプトエディタ
macOSに昔から標準搭載されている、繰り返しの操作などを自動処理するスクリプトを作成するためのツール。

ストレージを管理する
ディスクユーティリティ
MacBookの内蔵ディスクや外部ストレージを管理するためのツール。フォーマットやパーティション作成が可能。

ここで挙げたほかにも、ショートカット（P110で解説）や、AirMacユーティリティ、VoiceOverユーティリティ、Boot Campアシスタント、Digital Color Meter、ColorSyncユーティリティ、スクリーンショット、Bluetoothファイル交換、DVDプレーヤー、Audio MIDI設定、チェスといったアプリが標準でインストールされている。

03

M a c B o o k
活 用 テ ク ニ ッ ク

macOSの隠れた便利機能や作業を効率化するショートカット、インストールしたい
ベストなアプリにおすすめの優良アクセサリまでMacBookの真価を発揮する活用
技を総まとめ。MacBookのデータをまるごとバックアップできる標準機能「Time
Machine」やMacBookでWindowsを起動できるアプリも必見だ。

001

マウス

トラックパッドになかなか慣れない人は

MacBookの操作に
マウスを使ってみよう

**純正マウスは
もちろんさまざまな
製品を接続できる**

MacBookに搭載されているトラックパッドは精度が高く、非常に優れた入力デバイスだが、どうしても慣れない人はマウスを使ってみるといい。また、フォトレタッチやグラフィックなどデザイン関連アプリで細かな作業をする際など、マウス操作が向いている場合もある。MacBookで使えるマウスで最もおすすめなのは、Appleの「Magic Mouse」だ。そのほかの他社製マウスと共にチェックしよう。

Apple公式のマウス「Magic Mouse」

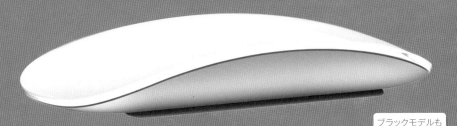

ジェスチャ操作の確認は
システム設定で

ブラックモデルも
用意されている

Magic Mouse
メーカー　Apple
実勢価格　10,800円(税込)

マルチタッチでの
ジェスチャ操作に対応したマウス

Appleが開発したスタイリッシュなワイヤレスマウス。上面部分はマルチタッチに対応しており、1本指で上下に動かしてスクロールしたり、2本指で左右にスワイプしてアプリを切り替えたりなどが行える。電池交換不要の充電式で、充電はマウス底面にある端子にケーブルを差し込んで行う。そのため、充電中はマウスが使えないので注意が必要だ。とはいえ、1度フル充電をすれば、1ヶ月は使えるのでそれほど問題にはならない。

使いやすい設定
に変えておく

Magic Mouseを接続したら、「システム設定」の「マウス」で設定を行っておこう。ここで各ジェスチャ操作の方法も確認可能だ。なお、初期設定の場合、一般的なホイール付きマウスとスクロールの方向が逆なので、気になる人は「ポイントとクリック」の「ナチュラルなスクロール」をオフにしておくといい。また、右クリックを使いたい場合は「副ボタンのクリック」を有効にしておこう。

そのほかのおすすめマウス

 気 に な る ポ イ ン ト

PEBBLE MOUSE2 M350s
メーカー／Logicool
実勢価格／3,300円(税込)

モバイル用途に特化した
スタイリッシュな薄型マウス

カバンに入れてもかさばらない薄型マウス。BluetoothとLogi Bolt USBレシーバー(別売)による無線接続に対応している。単三乾電池1本で24ヶ月の超電池寿命も特徴だ。クリック音が静かなのもポイントだ。

G304
メーカー／Logicool G
実勢価格／4,909円(税込)

軽量で遅延の少ないワイヤレス
ゲーミングマウス

LIGHTSPEED技術による1msの低遅延を実現した軽量ワイヤレスゲーミングマウス。全6個のプログラムボタンには、各種アプリのショートカット操作やマクロなどを登録可能だ。電池式なので充電切れの心配もない。

モバイル環境ならBluetoothの
無線マウスがおすすめ

無線マウスの通信方式には、Bluetooth方式とUSBレシーバーを介して通信する方式が存在する。どちらもMacBookで使えるのだが、USBレシーバー方式には1つ問題がある。それは、USBレシーバーの多くがUSB-A端子となっている点だ。USB-C端子しかないMacBookで利用するには、変換アダプタやUSBハブが必要となり、マウス以外の機材も必要になってしまう。モバイル用途で購入するなら、シンプルに接続できるBluetooth方式の無線マウスを選ぼう。

別の作業スペースにウインドウを振り分けて利用できる

複数のデスクトップを使い分ける

Mission Controlで仮想デスクトップを使う

「Mission Control」には、複数のデスクトップ（操作スペース）を切り替えできる、いわゆる仮想デスクトップ機能が搭載されている。たくさんのウインドウやアプリを1つの画面で同時にすべて表示するのは、表示領域の問題で難しい。しかし、仮想デスクトップ機能を使えば、複数の操作スペースを追加して、ウインドウを分散表示させることが可能だ。たとえば、デスクトップ1には仕事用のアプリを表示しておき、デスクトップ2には創作用のアプリを表示、デスクトップ3にはSNSアプリを起動しておく、といった使い方ができる。ステージマネージャ（P055で解説）での新しいマルチタスク環境に慣れない人も、Mission Controlで複数のアプリやウインドウを管理するといい。以下のショートカットで操作スペースを切り替えできるので、各種操作を効率化できる。

操作スペース切り替えの操作方法

◉トラックパッドを使い、3本指または4本指で左右にスワイプする

◉キーボードを使い、「control」＋カーソルキーの左または右を押す

※キーボードショートカットが動作しない場合は、「システム設定」→「キーボード」→「キーボードショートカット」→「Mission Control」でMission Control項目にある「左の操作スペースに移動」と「右の操作スペースに移動」にチェックする。

そもそも仮想デスクトップ機能とは？

Mission Controlでは、複数のデスクトップ（操作スペース）を作成して切り替えて使うことができる。操作スペースの切り替えは「control」＋カーソルキー左右を押すか、トラックパッドを3本指で左右スワイプすれば行える。

Mission Controlで操作スペースを追加する

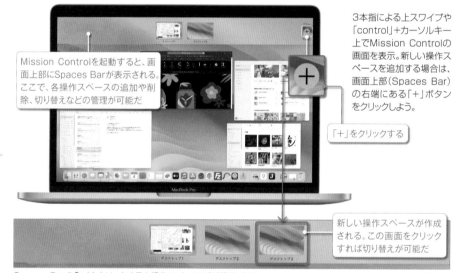

Mission Controlを起動すると、画面上部にSpaces Barが表示される。ここで、各操作スペースの追加や削除、切り替えなどの管理が可能だ

3本指による上スワイプや「control」＋カーソルキー上でMission Controlの画面を表示。新しい操作スペースを追加する場合は、画面上部（Spaces Bar）の右端にある「＋」ボタンをクリックしよう。

「＋」をクリックする

新しい操作スペースが作成される。この画面をクリックすれば切り替えが可能だ

Spaces Barの「＋」をクリックすると操作スペースが新規作成され、Spaces Barにサムネイル画面が追加される。これをクリックすることで操作スペースの切り替えが可能だ。不要な操作スペースを削除したい場合は、ポインタを合わせて「×」ボタン押せばいい。なお、フルスクリーン状態のアプリも個別の操作スペースとして表示される。

Mission Controlで操作スペースやウインドウを管理する

1 ウインドウはほかのデスクトップにドラッグ＆ドロップで移動できる

新しいデスクトップにウインドウをドラッグ＆ドロップ

Mission Control画面でウインドウをドラッグし、Spaces Bar上の操作スペースにドロップすると、そのデスクトップにウインドウを移動することが可能だ。

2 アプリウインドウをフルスクリーン表示の画面として追加する

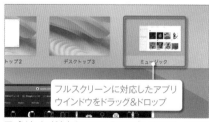

フルスクリーンに対応したアプリウインドウをドラッグ＆ドロップ

アプリウインドウをSpaces Barの空いたスペースにドラッグ＆ドロップすると、そのアプリのフルスクリーン表示画面を作ることができる。

3 フルスクリーン表示の画面にウインドウを重ねてSplit Viewにする

Split View対応のアプリウインドウをドラッグ＆ドロップ

Split View（P096参照）に対応しているアプリのウインドウをフルスクリーン表示中の操作スペースにドラッグすると、その画面をSplit Viewに変更することができる。

003
ファイル管理

スマートフォルダやタグ機能を使いこなそう
ファイル管理を
スマートに行う上級技

目的のファイルを もっと見つけやすくする

　ファイル管理を極めたいなら、Finderの「スマートフォルダ」と「タグ」機能をマスターしておこう。スマートフォルダとは、Finderにおけるファイル検索の結果をフォルダ化したような機能だ。スマートフォルダに検索条件を設定しておけば、その条件に合致するファイルを自動的に集めてくれるようになる。たとえば、「ファイル名に"スクリーンショット"の文字が含まれるPNG形式の画像」や「過去1ヶ月以内に作成したPDF」などの条件で該当するファイルを集めることが可能だ。なお、スマートフォルダはあくまで検索結果を表示しているだけ。そのため、スマートフォルダ自体を削除しても、該当するファイルの実体が消えるわけではない。

　もうひとつのタグ機能とは、ファイルやフォルダに特定のタグを付けて、分類できるようになる機能だ。たとえば、仕事やプライベートで重要となる書類に「重要」タグを付けておくと、ファイルがどこにあってもサイドバーの「重要」タグから見つけることができる。なお、タグの名前や色などは、自分で変更できるので使いやすいようにカスタマイズしておくといい。

検索した条件で項目を自動で集める「スマートフォルダ」

1 新規スマートフォルダを 作成する

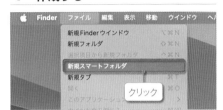

クリック

スマートフォルダを作りたい場合は、まずFinderの「ファイル」→「新規スマートフォルダ」を実行しよう。すると、新規スマートフォルダのウインドウが開く。

2 検索条件を設定して 「保存」をクリック

検索条件の設定方法はP028を参照

保存

スマートフォルダに集めるファイルの検索条件を設定しよう。検索欄にキーワードを入力、または「＋」ボタンで検索条件を設定したら、「保存」をクリックする。

3 スマートフォルダの名前と 場所を指定して保存

チェックしておく

スマートフォルダの名前と保存場所を設定して「保存」をクリックする。「サイドバーに追加」にチェックを入れておくと、Finderのサイドバーに追加することも可能だ。

4 あとでスマートフォルダの 検索条件を変更する

検索条件を表示

スマートフォルダを開く　　クリック

あとでスマートフォルダの条件を変えたい場合は、スマートフォルダを開き、ツールバーの「…」ボタンから「検索条件を表示」を選択。検索条件を変更しよう。

タグ機能でファイルを管理する

1 Finder設定で タグの設定を行う

チェックを入れたものがFinderのサイドバーに表示される

タグの追加／削除

タグを右クリックして名称変更や色の変更が可能だ

よく使うタグ

まずは、タグを設定しておこう。Finderメニューバーから「Finder」→「設定」を選択。「タグ」画面で各種タグの名称や色の変更、Finderのサイドバーに表示するタグの設定、タグの追加／削除などが可能だ。また、よく使うタグ（7つまで設定できる）も設定しておこう。

2 ファイルに タグを付ける

ファイルを右クリックしてタグを追加

タグの色マークが付く

ファイルにタグを付ける場合は、ファイルを右クリックしてタグを選択すればいい。なお、タグは1つのファイルに対して複数付けることが可能だ。また、タグの付いたファイルは、タグの色マークが付くようになる。

3 Finderのサイドバーから タグの付いたファイルを表示

サイドバーからタグをクリックする

Finderウインドウのサイドバーからタグを選ぶと、そのタグが付いた項目が一覧表示される。これで特定のタグの付いたファイルを素早く見つけることが可能だ。

スマートフォルダとタグを組み合わせる

スマートフォルダの検索条件にタグを設定することで、2つの機能を組み合わせることが可能だ。なお、初期設定の状態だと、検索条件として「タグ」を選ぶことができない。その場合は、検索条件のドロップダウンメニューから「その他」を選び、「タグ」をメニューに表示しておこう。

004

便利機能

意外と知られていない機能を一挙に紹介!

macOSの隠れた便利機能を利用する

「Split View」でウインドウをタイル表示にする

2つのウインドウを画面分割して表示してみよう

macOSでは、「Split View」という機能で、2つのウインドウを画面中央で分割して同時に表示させることが可能だ(これを「タイル表示」と呼ぶ)。ウインドウの左上にある緑色のフルスクリーンボタンにマウスポインタを合わせ、表示されたメニューからタイル表示の項目を選んでみよう。そのウインドウがタイル表示になり、もう片方のウインドウを選べば分割表示になる。

1 ウインドウのフルスクリーンボタンからタイル表示を選ぶ

分割表示したいウインドウを表示しておき、フルスクリーンボタン(緑色)にマウスポインタを合わせる。メニューから「ウインドウを～にタイル表示」を実行しよう。

2 2つのウインドウがSplit Viewでタイル表示された

境界線をドラッグして比率を変えられる

すると、そのウインドウがタイル表示になるので、もう片方のエリアでタイル表示するウインドウを選んでクリック。これで2つのウインドウが画面中央で分割される。

「ホットコーナー」でデスクトップなどをすぐ呼び出す

画面の四隅から各種機能を呼び出してみよう

デスクトップやMission Controlをすぐ呼び出したい人は「ホットコーナー」を設定しておこう。ホットコーナーを使えば、マウスポインタを画面の各コーナー(四隅)に移動することで、割り当てた機能を即座に呼び出せる。割り当てられる機能は、「Mission Control」、「アプリケーションウインドウ」、「デスクトップ」などだ。なお、標準状態だと右下に「クイックメモ(P053で解説)」が割り当てられている。

1 「システム設定」の「Mission Control」から設定する

4つのコーナーに機能を割り当てる。「-」を選べば機能を無効にできる

ホットコーナー...

Appleメニュー→「システム設定」→「デスクトップとDock」の画面を表示し、右下にある「ホットコーナー」をクリック。それぞれのコーナーに機能を割り当てよう。

2 各コーナーにマウスポインタを移動すると機能が呼び出せる

画面のコーナーにマウスポインタを移動しよう

画面の各コーナーにマウスポインタを移動してみよう。すると、「Mission Control」や「デスクトップ」など、割り当てた機能をすぐに呼び出すことができる。

Finderでファイルの一括リネームを行う

ファイル名の検索置換や連番リネームなどができる

複数のファイルを一括リネームしたい場合は、Finderの標準機能を使ってみよう。複数ファイルを選択して右クリック→「名称変更」を実行すると、リネーム用のダイアログが表示される。ここからリネームの内容を設定して「名前を変更」をクリックすればOKだ。ファイル名を検索置換したり、文字列を追加したり、連番ファイルにしたりなど、いろいろなリネーム処理に対応しているので試してみよう。

1 複数のファイルを選択して右クリックする

名称変更...

まずは、Finderウインドウでリネームしたいファイルを複数選択しておく。次に、選択したファイルを右クリックして「名称変更」を選択しよう。

2 リネームの内容を設定する

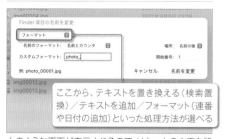

ここから、テキストを置き換える(検索置換)／テキストを追加／フォーマット(連番や日付の追加)といった処理方法が選べる

上のような画面が表示されるので、リネームの内容を設定する。「名前を変更」で一括リネームだ。なお、リネームは「command」+「Z」キーで取り消すことができる。

ファイルにロックをかける

変更／削除したくない大事なファイルをロックする

　間違えて書類の内容が変更されたり、ファイル自体が削除されたりしないように、ファイルにロックをかけることが可能だ。ロックを有効にしたい場合は、ファイルを選択して右クリック→「情報を見る」から「一般情報」の「ロック」をオンにしよう。ロックしたファイルは、内容を変更したときやゴミ箱に入れたときに確認画面が表示されるようになる。なお、フォルダもロックが可能で、中のファイルの変更や移動が禁止される。

1　ファイルを選択して「情報を見る」からロックする

ロックしたいファイルを選択したら、右クリック→「情報を見る」を選択（または「command」+「I」キー）。「一般情報」の「ロック」にチェックマークを入れよう。

2　ファイルの変更／削除時に確認画面が表示される

変更や削除時に確認画面が表示されるようになる

ロックしたファイルの内容を変更しようとすると上のような確認画面が表示される。また、ゴミ箱に入れようとしても確認画面が表示されるので安心だ。

Macの画面をムービーで収録する

デスクトップの様子を動画ファイルで保存しよう

　macOSは、デスクトップやウインドウの様子を画像や動画として保存できるキャプチャ機能が標準搭載されている（スクリーンショットについてはP054で詳しく解説）。ここでは、MacBookのデスクトップを動画で録画して、movファイルとして保存する方法を紹介しておこう。まずは、「shift」+「command」+「5」キーを押し、「画面全体を収録」か「選択部分を収録」ボタンを押す。そのまま「収録」ボタンを押せば録画が開始され、ステータスメニューの停止ボタンを押すと終了する。アプリのチュートリアル動画を作りたいときや、ゲームのプレイ動画を撮影したいときなどに利用してみよう。

1　「shift」+「command」+「5」から録画をスタートさせる

「画面全体を収録」か「選択部分を収録」かを選ぶ

「shift」+「command」+「5」キーを押したら、まず画面下のボタンで「画面全体を収録」か「選択部分を収録」かを選び、「収録」で録画をスタートさせる。

2　ステータスメニューのボタンで録画を停止

クリックして録画を停止するとムービーファイルが保存される

収録がひと通り終わったら、メニューバーの停止ボタンをクリック。動画がmovファイルとして保存される。なお、保存先は「オプション」で設定可能だ。

☑ こちらもチェック　iPhoneの画面をMacBookで収録する

iPhoneの画面を録画することもできる。MacBookとiPhoneをケーブルで接続した状態で標準アプリの「QuickTime Player」を起動したら、「ファイル」→「新規ムービー収録」を選択。録画ボタン横の「∨」ボタンをクリックして、画面とスピーカーにiPhoneを選び、録画を開始すればいい。

MacBookのログイン時に指定アプリを起動する

よく使うアプリは自動起動しておくと便利

　MacBookの起動時やログイン時に、特定のアプリを起動させたい場合は、システム設定の「一般」画面にある「ログイン項目」でアプリを追加しておけばいい。よく使うアプリを指定しておけば、いちいち各アプリを手動で起動する手間が省ける。特に、カレンダーやリマインダー、デスクトップに表示させるスティッキーズなど、MacBookを使う際に必ず確認したいアプリを追加しておくのがおすすめだ。

1　システム設定からログイン項目を追加する

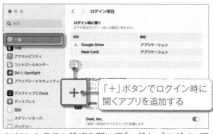

「+」ボタンでログイン時に開くアプリを追加する

まずは、システム設定を開いて「一般」→「ログイン項目」を選択。「ログイン時に開く」の項目にある「+」ボタンをクリックしよう。

2　アプリケーションフォルダからアプリを選択しよう

自動起動したいアプリを選択して開く。特定のファイルやフォルダを指定することもできる

表示されたウインドウでアプリケーションフォルダを開き、自動起動したいアプリを選択して「開く」をクリック。これでログイン時にそのアプリが自動起動する。

005

キーボード
ショートカット

キーボードショートカットでスピーディに操作しよう

上級者が使っている
超効率化ショートカット

**覚えておくと役立つ
ショートカット20選**

macOSの基本的なキーボードショートカットについてはP034でも紹介しているが、ここでは
そのほかの便利なショートカットをいくつか紹介しておこう。いちいちメニューやボタンを操作す
る必要がなくなるので、Finderやアプリをもっと効率よく操作できるようになる。

覚えておくと便利なキーボードショートカット

Finder App
開く
command + O

Finderの場合、選択した項目を最適なアプリで開く。アプリの場合、開くダイアログを起動してファイルを開く。

Finder App
印刷する
command + P

Finderで選択したファイル、またはアプリで開いているファイルを印刷する。

Finder App
検索する
command + F

Finderや各種アプリの検索機能を呼び出す。Safari操作時は表示しているページ内のテキスト検索が可能だ。

App
次を検索する
command + G

直前に検索した項目が次に出てくる場所を探す。「shift」+「command」+「G」キーで、前の場所に戻ることができる。

Finder App

設定を開く
command + ,

最前面にあるアプリの設定画面を開く。Finderを操作しているときは、「Finder設定」を開く。

App

カーソル右側の文字を削除
fn + ⌫

文字入力中にカーソルの右側にある文字を削除する。アプリによっては「control」+「D」キーでも同じ操作が可能。

Finder

アプリウインドウを非表示に
command + H

最前面のアプリウインドウを非表示にする。再表示するには、Dockからアプリのアイコンをクリックすればいい。

Finder

新規タブを開く
command + T

Finderウインドウで新規タブを開く。Finderウインドウが開いていない場合は、新規ウインドウが開かれる。

Finder

ゴミ箱を空にする
shift + command + delete

上記のキーを押して「ゴミ箱を空にする」を選択すれば、ゴミ箱を空にできる。

Finder
音量を細かく調節する
option + shift + 音量を上げる / 音量を下げる

通常より細かい音量調節が可能。Touch Barの音量ボタンでも同様に操作できる。

Finder
iCloud Driveを開く
shift + command + I

Finderウインドウで「iCloud Drive」を開く。

Finder

ダウンロードフォルダを開く
option + command + L

Finderウインドウで「ダウンロード」フォルダを開く。

Finder

AirDropを開く
shift + command + R

Finderウインドウで「AirDrop」を開く。

Finder
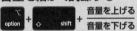
アプリケーションを開く
shift + command + A

Finderウインドウで「アプリケーション」フォルダを開く。

Finder

ユーティリティを開く
shift + command + U

Finderウインドウで「ユーティリティ」フォルダを開く。

Finder

上のフォルダに移動
command + ▲

Finderウインドウで表示している現在のフォルダからひとつ上のフォルダを開く。

Finder

表示形式を変更する
command + 1 ～ 4

Finderウインドウの表示形式を、アイコン／リスト／カラム／ギャラリー表示に切り替える。

Finder

Dockに追加する
shift + control + command + T

Finderで選択したファイルやフォルダなどの項目をDockに追加する。

Finder

内包するフォルダを表示
command + クリック

フォルダのタイトル部分を「command」+クリックすると、内包するフォルダを表示できる。右クリックでもOKだ。

Finder App
メニューを拡張する
option

「option」キーを押しながらメニューを表示すると、通常表示されていなかったメニュー項目が表示される。

006

音声入力

キーボードを使わずにテキストを入力する

音声入力を使って
テキストを入力してみよう

MacBookに話しかけて
テキストを作成できる

音声認識によるテキスト入力を行う場合は、「システム設定」の「キーボード」→「音声入力」から、音声入力をオンにしておこう。あとは、テキストが入力できる状態で「F5（機種によって異なる）」キーを押せばいい。マイクマークが表示されたら、MacBookに話しかけてみよう。話した内容がそのままテキストとして入力され、リアルタイムに変換されていく。なお、従来の音声入力は一度に60秒間までの制限があったが、M2などAppleシリコン搭載モデルであれば制限なしで音声入力ができるようになっている。

システム設定で音声入力を有効にする

1 「システム設定」の「キーボード」から音声入力を有効にしておく

まずは、Appleメニューから「システム設定」を開き、「キーボード」→「音声入力」をオンにする。マイクの入力元や音声入力のショートカットキーも確認しておこう。

2 「有効にする」をクリックして準備完了

確認画面が表示される。音声入力で話した内容がAppleに送信され、テキスト変換されることに了承するなら「有効にする」をクリックしよう。

音声入力でテキストを入力していこう

1 「F5」キーを押すと
音声入力が有効になる

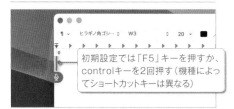

初期設定では「F5」キーを押すか、controlキーを2回押す（機種によってショートカットキーは異なる）

文字入力が可能な状態で「F5」キーを押してみよう。マイクマークが表示されれば、音声入力が有効になった状態だ。MacBookに話しかけてみよう。

2 音声入力でテキスト
入力していこう

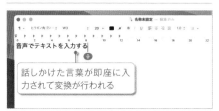

話しかけた言葉が即座に入力されて変換が行われる

MacBookに話しかけた内容が音声認識され、テキストとして入力される。テキストは自動的に変換されていくので、そのまま話し続けていくだけでOKだ。

3 句読点や記号は
音声コマンドで入力する

「まる」と話しかけると「。」が入力される

句読点や記号を入力したい場合は、下表でまとめたような音声コマンドで入力しよう。音声入力を終了したい場合は、「return」キーなどを押せばいい。

4 改行は「かいぎょう」と
話しかければOK

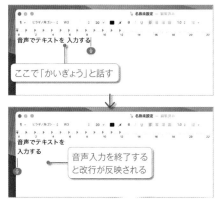

ここで「かいぎょう」と話す

音声入力を終了すると改行が反映される

改行を入力したい場合は「かいぎょう」と音声コマンドを入力しよう。音声入力時点では改行が入ったように見えないが、入力が終わると改行が反映される。

[おもな音声入力用のコマンド]

音声コマンド	入力される文字	音声コマンド	入力される文字
まる	。	アットマーク	@
てん	、	かいぎょう	改行
かっこ	(	スラッシュ	/
かっことじ	)	アンド	&
かぎかっこ	「	パーセント	%
かぎかっことじ	」	アンダーバー	_
びっくりマーク	！	シャープ	#
はてな	？	こめじるし	※
さんてんリーダー	…	コロン	:
なかぐろ	・	セミコロン	;

007

バックアップ

macOSのバックアップシステムを使いこなす

Time Machineでデータの バックアップを行おう

macOSの全ファイルを 手軽にバックアップできる

「Time Machine」は、macOS標準のバックアップシステムだ。外付けドライブやネットワーク接続ハードディスク（NAS）などをバックアップ用ドライブとして設定しておくと、macOSのすべてのファイルを自動的にバックアップしてくれる。ドライブの空き容量次第では、長期間の差分バックアップも保存されるため、好きな日時を選んで特定フォルダ内のファイルを復元したり、システム全体をバックアップした状態に戻したりすることが可能だ。ここでは、空の外付けドライブを用意し、Time Machineでバックアップする方法を紹介しよう。

バックアック用の外付けドライブを用意しよう

SDSSDE61-1T00-GH25
エクストリーム ポータブル
SSD 1TB
メーカー／SanDisk
実勢価格／15,151円（税込）

万全なバックアップには 総容量の2〜3倍以上の 空き容量が必要だ

Time Machineによるバックアップを万全に行うには、大容量の外付けドライブを使うといい。容量は、バックアップする総容量の2〜3倍ぐらいあると安心だ。容量が少ないと、復元時にあまり日時を遡れなくなってしまう。外付けドライブの種類はSSDが高速でバックアップできるのでおすすめ。予算を抑えたいならHDDでもかまわないが、バックアップにかなり時間がかかってしまう。なお、ネットワーク接続ハードディスクをバックアップディスクとして使う場合、バックアップ中はネット接続が遅くなることがあるので注意しよう。

外付けドライブ全体をTime Machine専用にする場合

APFSフォーマットで ドライブを消去しておこう

バックアップ用の外付けドライブをMacBookに接続したら、ディスクユーティリティで内容を消去しておこう。なお、すでに通常のデータが保存されている外付けドライブ（APFSフォーマットのもの）を使いたい場合、Time Machine用のボリュームを別に追加して使うことも可能だ（右ページ参照）。

1 外付けドライブを 接続する

MacBookに外付けドライブを接続した場合、上のようにTime Machineでバックアップを作成するかどうか通知表示される。ここではバックアップの設定は行わず、一旦通知を消しておこう。

2 ディスクユーティリティを 起動する

Time Machineのために用意した外付けドライブは、最初に内容をすべて消しておくとトラブルが少ない。消去するには、Launchpadの「その他」→「ディスクユーティリティ」を開く。

3 すべてのデバイスを 表示する

ディスクユーティリティを起動したら、「表示」→「すべてのデバイスを表示」を有効にしておこう。

4 外付けドライブを 消去する

ディスクユーティリティの画面左側から消去する外付けドライブを選び、「消去」をクリック。なお、消去するとドライブの内容はすべて消える。

5 フォーマットを 決める

フォーマットに「APFS」、方式に「GUIDパーティションマップ」を選択

ドライブの名前を決めて、上のような設定にしておく。「消去」でディスクの消去開始だ。なお、ディスクを暗号化したい場合は、次ページの記事を参照してほしい。

6 ディスクの消去が 完了する

消去が終わると上のような画面になる。「完了」で画面を閉じ、ディスクユーティリティを終了しよう。

外付けドライブにTime Machine用のボリュームを追加する場合

1つのドライブを2つのボリュームで分ける

外付けドライブにパーティション（ボリューム）を追加すれば、通常のデータ保存用とバックアップ用とで保存領域を切り分けることが可能だ。ただし、バックアップ用ボリュームの空き容量は十分に確保しておくこと。バックアップ用の容量が少なくなると、一番古いバックアップデータから消えていくので注意しよう。

1 「パーティション作成」を実行する

APFSフォーマットの外付けディスクを接続したら、ディスクユーティリティを起動。外付けドライブを選択して「パーティション作成」をクリックしよう。

2 「+」ボタンをタップする

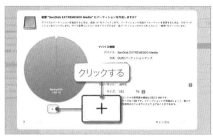

上のような画面が表示され、ここでパーティションの作成や削除を行っていく。左の円グラフの下にある「+」ボタンをクリックしよう。

3 ボリュームを追加する

外付けドライブがAPFSフォーマットであれば、上の画面が表示される。ここではパーティションを追加するのではなく「ボリュームを追加」を選んでおこう。

4 新しいボリュームの設定を行う

ボリュームの名前を付けたら、フォーマットに「APFS」を選び、「追加」をクリック。これで新しいボリュームが追加される。

5 ボリュームが追加された

サイドバーを確認すると、1つの外付けドライブ内に2つのボリュームが存在しているはずだ。それぞれは別のボリュームとして使うことができる。

APFSの各ボリュームは空き容量が共有される

APFS形式でフォーマットされた物理ディスクでは、「コンテナ」と呼ばれる区切りの中に複数のボリュームを追加することができる。また、各ボリュームの空き容量は、ディスク全体で共有できるのも特徴だ。そのため、旧来のパーティションを分けるときのように、あらかじめ各ボリュームの容量を決めておく必要はない。たとえば、総容量1TBの物理ディスクにAとBの2つのボリュームを追加し、Aに300GBのデータを保存したとしよう。物理ディスクの残り容量は700GBとなるが、この空き容量は、ボリュームAでもBでも使うことができる。この仕組みをしっかり理解しておこう。

気になるポイント 外に持ち出す外付けディスクは暗号化しておこう

外出先に外付けディスクを持ち出すという人は、ディスク（ボリューム）を暗号化しておこう。もし、暗号化していないディスクを紛失した場合、そのディスクを入手した人なら誰でも中身を読み取れてしまうため危険だ。ディスクを暗号化しておけば、接続時にパスワード入力が必要になり、自分以外の人はアクセスできなくなる。ただし、パスワードを忘れてしまうと、そのディスクに一切アクセスできなくなり、ディスクを消去するしかなくなってしまうので注意。なお、パスワードをキーチェーンに保存しておけば、そのMacとの接続時だけパスワード入力が不要になるので便利だ。ちなみに、Time Machineの設定時にもバックアップディスクの暗号化ができるので（次ページ参照）、ディスクの消去時に暗号化を忘れても、そちらで改めて暗号化すればいい。

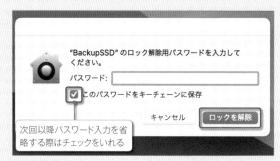

外付けドライブを暗号化するには、ディスクユーティリティのドライブ消去時にフォーマットとして「APFS（暗号化）」を選択。ロック解除用のパスワードを設定してから「消去」してフォーマットしよう。

暗号化されたディスクは、接続時にパスワード入力が必要になる。なお、「このパスワードをキーチェーンに保存」にチェックを入れておけば、次回以降、同じMacとの接続時はパスワード入力が不要だ。

Time Machineでバックアップを実行する

実際にTime Machineでバックアップしてみよう

バックアップを実行するには、「システム設定」の「一般」→「Time Machine」を開き、ドライブをTime Machineのバックアップディスクとして追加すればいい。すると初回バックアップが実行され、そのあとは定期的に自動バックアップが行われる（初期設定では1時間に1回）。なお、初回はフルバックアップが実行されるため、完了までに数時間〜数日かかるので注意。2回目以降は差分バックアップなので短時間で終わる。また、バックアップはバックグラウンドで行われ、バックアップ中でもほかの作業を行うことが可能だ。

1 Time Machineの設定を行う

Appleメニューから「システム設定」を開き、「一般」→「Time Machine」を選択。上の画面になるので「バックアップディスクを追加」をクリックしよう。

2 バックアップディスクを選択する

ドライブ一覧が表示されるので、Time Machineのバックアップ先にしたいディスク（ボリューム）を選択。「ディスクを設定」をクリックしよう。

3 バックアップの暗号化設定を行う

「バックアップを暗号化」をオンにし、パスワードやヒントを設定して「完了」クリック。これでTime Machineのバックアップディスクが暗号化（前ページ参照）され、アクセスするのにパスワードが必要になる。

4 バックアップが自動的に開始される

しばらく待っているとバックアップが開始される。あとは定期的に自動でバックアップが行われるので、特に操作する必要はない。

5 バックアップの頻度や除外する項目を設定

「オプション」からは、バックアップ頻度やバックアップ対象から除外する項目を設定できる。特定のフォルダやドライブを除外したい場合は「+」から追加しておこう。

6 バックアップが完了する

上の画像のような通知が表示されたら、初回バックアップは完了だ。また、バックアップ先に設定したドライブは、Time Machineのアイコンに変わる。

メニューバーからTime Machineの操作が行える

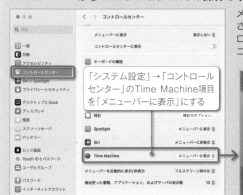

メニューバーにTime Machineのアイコンが表示されていない場合は、「システム設定」→「コントロールセンター」のTime Machine項目を「メニューバーに表示」にしておこう。

📍 気 に な る ポ イ ン ト

暗号化されてない既存のバックアップディスクを暗号化する

「システム設定」→「一般」→「Time Machine」で、バックアップディスクを選択。「−」をクリックしてから「バックアップ先を解除」をクリックしよう。その後、Time Machineのバックアップディスクとして改めて追加し、暗号化設定を行えばいい。なお、外付けディスクの場合は既存のバックアップが保持されるが、ネットワークディスクの場合はすべて消去される。

Time Machineでバックアップしたデータを復元する

Time Machineなら簡単にデータを復元可能

Time Machineでの復元方法は、「特定のファイルを復元する」、「移行アシスタントでファイル全体を復元する」の2つの方法がある。万が一のときに備えて、以下で復元手順をしっかり確認しておこう。なお、「macOSを初期化してからシステム全体を復元する」方法もあり、こちらはP143で解説している。

特定のファイルを復元する方法

1 Time Machineバックアップをブラウズする

復元したいファイルが元々あったフォルダやドライブを開き、メニューバーから「Time Machineバックアップをブラウズ」を実行しよう。

2 タイムラインから日時を選び復元したいファイルを探す

画面右下のタイムラインやウインドウ横のボタンで、復元したいバックアップの日時を選ぼう。ドライブの空き容量が多ければ、より昔の日付まで戻ることができる。

3 ファイルを選択して復元する

クイックルックや検索を使いつつ、復元したいファイルを見つけよう。フォルダやフォルダを選択して「復元」を選べば、すぐに項目が復元される。

移行アシスタントでファイル全体を復元する方法

1 「移行アシスタント」を起動する

Launchpadを開いて「その他」→「移行アシスタント」を起動。「続ける」をクリックしたら、Time Machineバックアップを選択して「続ける」をクリックする。

2 Time Machineバックアップを選択

Time Machineのバックアップデータが入ったディスクを選択して「続ける」をクリック。さらに、日時別のバックアップリストから復元するデータを選択しよう。

3 転送する情報を選択して復元開始

元のバックアップデータから何を転送するかを選択し、アカウントの認証などを済ませると転送が始まる。転送には数時間かかることもあるのでしばらく待とう。

気になるポイント

MacBookでTime Machineを使う場合は手動バックアップも使いこなそう

MacBookを頻繁に持ち運ぶユーザーだと、Time Machineのために外付けドライブを常時接続しておくのは現実的ではない。そんなときは、週に1回ぐらい外付けドライブを接続し、自動バックアップではなく、手動バックアップを実行しよう。手動バックアップを行うには、「システム設定」→「一般」→「Time Mashine」→「オプション」で「バックアップ頻度」を「手動」にしておく。あとは、ステータスメニューからTime Machineのアイコンをクリックして「今すぐバックアップを作成」を実行すればいい。なお、外付けドライブを外す際は、デスクトップにある外付けドライブのアイコンをゴミ箱にドラッグ&ドロップしてから外すこと。

外付けドライブ接続時に、メニューバーから「今すぐバックアップを作成」を実行すれば手動バックアップが行える。

「Time Machine設定を開く」で進捗状況の確認もできる

ドライブのアイコンをゴミ箱にドラッグ&ドロップすると、マウントの解除が可能だ。ドライブの内容が消えるわけではない。

008
Windows起動

Parallels DesktopでWindows 11をインストールしよう
MacBookで
Windowsを利用する

1台でmacOSも Windowsも使えるように

MacBookでWindows用のアプリを使いたいのであれば、高性能なデスクトップ仮想化ソフト「Parallels Desktop」を使ってみよう。macOSのウインドウ内で、Windows 11自体やWindows用のアプリを起動させることができる。Windows 11の新規ライセンスさえあれば、インストールメディア不要で手軽にWindows 11の仮想環境がセットアップ可能だ。買い切り版と年額制のサブスクリプション版が用意されているので、好みの方を購入しておこう。

Parallels Desktop 19 for Mac
作者／ Parallels International GmbH
価格／Standard Edition 10,400円／Pro Edition 年額11,700円
入手先／https://www.parallels.com/jp/

Parallels DesktopでWindowsをインストールする

1 Parallels Desktopの インストーラーを実行する

まずは、Parallels Desktopを公式サイトなどで購入してインストーラーをダウンロード。インストーラーを実行して、使用許諾契約に同意しておこう。

2 各種ディレクトリへの アクセス権限を許可しておく

上の画面で「次へ」を押すと、各種ディレクトリへのアクセス許可が求められる。「OK」を押してすべて許可したら、「完了」をクリックして設定を進めていこう。

3 Parallelsアカウントに サインインする

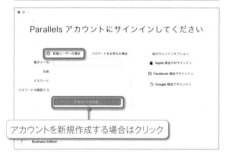

アカウントを新規作成する場合はクリック

上の画面になったら、Parallelsの新規アカウントを作成してサインインしておこう。Apple IDやFacebookアカウント、Googleアカウントを利用することもできる。

4 ライセンスを入力して アクティベートしておく

ライセンスを購入する場合は「キーを入力」→「購入」をクリック

次に、Parallels Desktopのライセンスをアクティベートしておく。まだライセンスを購入していない人は、公式ページで購入手続きを進めておくこと。

5 「Windowsのインストール」を クリックする

Parallels Desktopでは、Windows 11のダウンロードとインストールを自動で行ってくれる。上の画面になったら「Windowsのインストール」をクリックしよう。

6 Windowsがダウンロードされて インストールが開始される

Windows 11のデータがダウンロードされ、自動的にインストール作業も行われる。途中、カメラやマイクのアクセス権限が求められるので許可しておこう。

7 Parallels Toolboxは インストールしなくてもOK

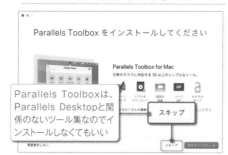

Parallels Toolboxは、Parallels Desktopと関係のないツール集なのでインストールしなくてもいい

Windowsのインストール中には、Parallels Toolboxのインストールが促される。特に必要ない場合は「スキップ」を押してインストールを飛ばしておこう。

Intelプロセッサ搭載機種なら BootCampが使える

Intelプロセッサ搭載のMacBookでは、macOSの標準機能である「Boot Campアシスタント」を使うことで、MacにWindows 10をインストールして起動させることが可能だ（Windows 11のインストールには未対応）。「Boot Campアシスタント」は、「アプリケーション」フォルダの「ユーティリティ」フォルダに入っている。なお、Appleシリコン搭載機種では、BootCamp自体が非搭載なので使うことができない。

8 Windowsの使用許諾契約に同意する

同意

しばらく待つと「インストールが完了しました」と表示されるので、画面をクリックしよう。Windowsの使用許諾契約が表示されるので「同意」ボタンをクリックする。

9 Windowsが起動してブラウザで説明が表示される

インストールが終了すると、Windowsが起動する。自動的にWebブラウザ（edge）が起動し、Parallels Desktopの説明が表示されるので、目を通しておこう。

10 スタートメニューから設定を表示してみよう

スタートメニューから設定を起動する

このWindowsを使うには、Windows11のライセンス認証が必要だ。画面中央下のスタートボタンを押したら、「設定」をクリックしよう。

11 Windows 11のプロダクトキーを入力する

設定画面が表示されたら「システム」→「ライセンス認証」を開き、「プロダクトキーを変更する」でWindows11のプロダクトキーを入力して認証しておこう。

Windows 11の新規ライセンスはどこで買える？

Windows 11の新規ライセンスは、マイクロソフトの公式サイトでも購入できるが、Amazonで購入する方が安い。記事執筆時点（2024年3月4日）での実勢価格は、オンラインコード版のHomeで17,600円、Proで25,800円となっている。

12 MacBookでWindows 11が起動できた

macOSのウインドウ内でWindows 11が起動できるようになった

Windows 11のセットアップ完了！

これでWindowsのインストールが完了だ。今後は、Parallels Desktopを起動すれば、Windows 11をmacOSのウインドウ内で起動できるようになる。Windows版のWordやExcelといったオフィス系アプリをこのWindows環境に別途インストールしておけば、macOSで気軽に使うことが可能だ。なお、以下で紹介した言語設定もしておくこと。

Windows 11の言語設定を行っておく

MacBookで文字入力できるようにする

Parallels Desktopで起動したWindowsでは、Macの日本語用キーボードを使って文字入力すると一部のキーが正しく動作しない。「@」キーを押すと「[」が入力されたり、「かな」キーや「英数」キーがうまく動作しなかったりなどの不具合があるのだ。事前に以下の設定を行っておこう。

1 Windowsの設定で言語オプションを表示する

「日本語」以外の言語があった場合は「…」から「削除」しておこう

Windowsのスタートボタン→「設定」→「時刻と言語」→「言語と地域」で、言語リストを「日本語」のみにする。「日本語」の「…」から「言語のオプション」を選択しよう。

2 キーボードレイアウトを日本語キーボードにする

日本語キーボード (106/109 キー)

「キーボードレイアウト」欄にある「レイアウトを変更する」ボタンを押し、「日本語キーボード（106/109キー）」を選択して「今すぐ再起動する」をクリック。

3 キー割り当てを変更する

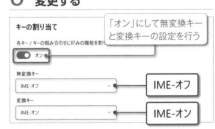

「オン」にして無変換キーと変換キーの設定を行う

IME-オフ

IME-オン

再起動後、先ほどの「言語のオプション」画面を再び表示し、「Microsoft IME」欄の「…」をクリック。「キーボードオプション」→「キーとタッチのカスタマイズ」を選択したら、上のように設定しておこう。

009

クラムシェル
モード

MacBookを大きな画面に接続して快適な作業空間を

外部ディスプレイを接続して
クラムシェルモードで使う

MacBookをデスクトップ
パソコン感覚で扱える

「クラムシェルモード」とは、MacBookを閉じた状態にして、外付けのディスプレイと接続して使用する形態のこと。MacBookを縦置きスタンドなどに収納すれば、超省スペースなデスクトップパソコンのように扱うことができる。また、大画面のディスプレイにつなぐことで、通常より作業効率がアップするというメリットも。このクラムシェルモードを使うには、以下でまとめたようなアイテムが必要になるので用意しておこう。

自宅や会社では「クラムシェルモード」が使いやすい

MacBookを閉じて外部ディスプレイに接続

MacBookを外部ディスプレイと接続し、クラムシェルモードで利用している図。大きな画面で作業がしやすい。写真は、サンワサプライ製のスタンド（下記で紹介）にMacBookを立てかけている状態だ。

クラムシェルモードを使うのに必要なもの

1 外付けディスプレイ

**Dell 27 4K UHD
USB-C モニター
S2722QC**
メーカー／Dell
実勢価格／
45,000円（税込）

クラムシェルモードにまず必須なのは外部ディスプレイだ。DellのS2722QC（27インチ）であれば、USB-Cケーブル1本で接続ができる。

2 外付けキーボードとマウス

**Appleシリコン搭載Macモデル用
Touch ID搭載Magic Keyboard**
メーカー／Apple
実勢価格／19,800円（税込）

テンキー付きモデルも用意されているのでチェックしよう

Magic Mouse
メーカー／Apple
実勢価格／
10,800円（税込）

外付けのキーボードとマウスも必須。できれば有線よりも無線の方が使いやすい。Appleの純正Magic KeyboardとMagic Mouseがあればベストだ。

3 MacBook用スタンド

MacBookを閉じたまま縦置き収納できるスタンド。本体下のつまみで挟み込む幅の調整が簡単にできるのが特徴だ。630gのしっかりした重さで安定感もある。

ノートパソコン用アルミスタンド PDA-STN31S
メーカー／サンワサプライ
実勢価格／3,809円（税込）

設置スペースに余裕がある場合は、浮遊型スタンドもおすすめ。外部ディスプレイとの接続がうまくいかなかったときなどに、すぐ本体を開いて操作できる。

Curve Stand for MacBook
メーカー／Twelve South
実勢価格／9,200円（税込）

HDMI端子がないMacBookでHDMI接続するには？

PowerExpand+ 5-in-1
メーカー／Anker
実勢価格／
5,090円（税込）

HDMI端子が搭載されていないMacBookの場合、ディスプレイとの接続には注意が必要だ。もし、MacBookと外付けディスプレイをHDMIケーブルで接続したい場合は、HDMI端子付きのUSB-Cハブも別途用意しておこう。

クラムシェルモードを使ってみよう

必要なデバイスを接続して MacBookを閉じよう

クラムシェルモードに移行するには、まず、電源アダプタをMacBookに直接接続し、外付けキーボードやマウス、ディスプレイも接続しておこう。あとは、MacBookを閉じれば自動でクラムシェルモードになる。

1 MacBookに電源アダプタを直接接続する

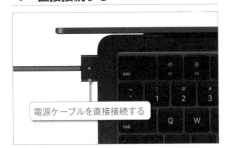

電源ケーブルを直接接続する

USB-Cハブ経由では十分に充電されない恐れがあるので、電源ケーブルは直接MacBookに接続しよう。

2 外付けのキーボードとマウスを接続する

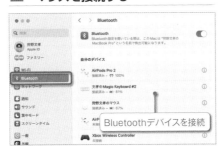

Bluetoothデバイスを接続

外付けキーボードとマウスを使えるようにしておこう。Bluetooth接続のデバイスを使う場合は、「システム設定」の「Bluetooth」から接続しておく。

3 外付けディスプレイを接続する

ディスプレイの配置や解像度などを設定

次に外付けディスプレイを接続しよう。接続したら、「システム設定」の「ディスプレイ」から各ディスプレイの解像度や配置などを使いやすいように設定しておく。

4 クラムシェルモードを利用開始する

外部ディスプレイでメインの画面が表示される

画面の表示を確認したらMacBookを閉じて利用開始。なお、MacBookは開いたまま使ってもよい

外部ディスプレイにMacBookの画面が表示された。外部キーボードとマウス、ディスプレイで操作しよう。

MacBookのスタンドは冷却にも役に立つ

MacBookを外部ディスプレイと接続した場合、通常よりも処理に負荷がかかりやすく、本体の温度が上がりやすい。特に夏場は、机に置いたまま使うと本体に熱がこもって不具合が発生する可能性もある。MacBook用のスタンドを使うと本体の熱を効率よく冷却できるので、安定した動作が可能だ。

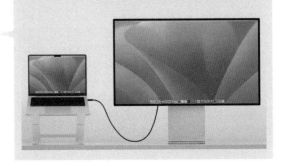

気になるポイント

外部ディスプレイの最大同時出力数には制限がある

Appleシリコン搭載のMacBookでは、外部ディスプレイの最大同時出力数に制限がある。例えばMacBook ProのM3であれば1台の外部ディスプレイ、M3 Proであれば最大2台、M3 Maxであれば最大で4台まで同時出力が可能だ。また、MacBookでは、本体のUSB-C端子1つにつき1つの映像のみが出力される。そのため、ディスプレイ出力端子が複数あるUSB-Cハブを使っても、別々の映像を映すことができないので注意。ちなみに、AirPlayやSidecarで外部に映像を出力した場合でもクラムシェルモードが使える。

HDMI端子付きのUSB-Cハブを選ぶときの注意点

HDMI端子×2

上の製品のようにHDMI端子が2つ以上あるようなアダプタには要注意。MacBookでは、本体のUSB-C端子1つにつき、1つの映像しか出力することができない。そのため、上のアダプタでディスプレイを2台つないだとしても、別々の映像を映すことができず、同じ映像のミラーリングしか行えないのだ。

AirPlayやSidecarでもクラムシェルモードが使える

「AirPlay」や「Sidecar」で接続したディスプレイでもクラムシェルモードが利用可能。iPadを外部ディスプレイとして使うのもアリだ。

ルールやスマートメールボックスで整理しよう

メール管理の上級テクニック

メールの自動整理機能を活用しよう

　毎日大量のメールが届いていると、重要なメールを見逃しかねず、あとで読み返したいメールを探し出すのも一苦労だ。そんなときは、メールアプリが備える機能を活用して、メールを自動で整理するのがおすすめだ。まず、あまり読む必要のないメールマガジンやプロモーションメールは、差出人のメールアドレスや件名を条件に「ルール」を設定し、特定のメールボックスに自動で移動させておこう。ルールで振り分けられたメールは、受信トレイではなく指定したフォルダで受信するようになるので、受信トレイがスッキリ整理され必要なメールを見つけやすくなる。条件に合致するメールを自動で削除したりフラグを付けるといった設定も可能だ。なお、メール自体は元の場所に残したまま、条件に合うメールだけを抽出して一箇所で確認したいときは、ルールではなく「スマートメールボックス」を利用しよう。たとえば「打ち合わせ」や「請求書」といったテキストが含まれるメールを一覧したい場合は、毎回キーワードを入力して検索しなくても、スマートメールボックスを開くだけで目的のメールを素早く探し出せるようになる。余計なメールが含まれないように、差出人や件名、添付ファイルありなど複数の条件を組み合わせて、抽出結果を絞り込んでおくのがコツ。スマートメールボックスは削除しても中のメールは消えず、元の受信トレイに残ったままとなる。

あまり必要ないメールを「ルール」で振り分ける

1 振り分け先のメールボックスを作成する

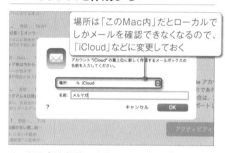

場所は「このMac内」だとローカルでしかメールを確認できなくなるので、「iCloud」などに変更しておく

メールアプリを起動し、まずメニューバーの「メールボックス」→「新規メールボックス」で、「メルマガ」など振り分け先にするメールボックスを作成しておく。

2 ルールを追加をクリック

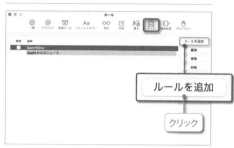

次に、メニューバーの「メール」→「設定」をクリックし、「ルール」タブを開いて「ルールを追加」ボタンをクリックする。

3 条件と移動先を設定してルールを作成

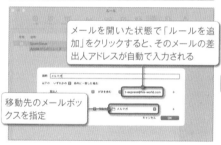

メールを開いた状態で「ルールを追加」をクリックすると、そのメールの差出人アドレスが自動で入力される

移動先のメールボックスを指定

「説明」にルール名を入力し、「差出人」で振り分けたい差出人アドレスを入力。「移動先」に作成したメールボックスを指定して「OK」をクリック。

4 メールが自動的に振り分けられる

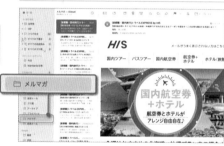

指定した差出人のメールが、作成したメールボックスに自動で移動する。あまり読む必要のないメルマガなどを振り分けて受信トレイをスッキリさせよう。

条件に合うメールのみ「スマートメールボックス」で確認する

1 新規スマートメールボックスを作成する

メールを移動して振り分けるのではなく、条件に合うメールだけを抽出してひとつのメールボックス内で一覧したいときは「スマートメールボックス」を利用しよう。まず、メニューバーの「メールボックス」→「新規スマートメールボックス」をクリックする。

2 複数の条件を指定してメールを絞り込む

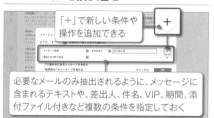

「+」で新しい条件や操作を追加できる

必要なメールのみ抽出されるように、メッセージに含まれるテキストや、差出人、件名、VIP、期間、添付ファイル付きなど複数の条件を指定しておく

スマートメールボックス名を付けて、スマートメールボックスに表示するメールの条件を指定する。メッセージに「打ち合わせ」というテキストを含む「差出人がVIP」のメールなど、複数の条件を指定して余計なメールが含まれないように絞り込んでおこう。

3 スマートメールボックスでメールを確認する

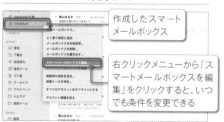

作成したスマートメールボックス

右クリックメニューから「スマートメールボックスを編集」をクリックすると、いつでも条件を変更できる

作成したスマートメールボックスは、サイドバーの「スマートメールボックス」欄から開くことができる。メール自体を移動するルールと違い、抽出結果が一覧表示されているだけなので、スマートメールボックスを削除してもメールは元の受信トレイに残っている。

011 キーチェーン

面倒なパスワード管理を簡単かつ安全に

パスワードの管理は MacBookにまかせよう

パスワードを保存して iPhoneとも同期できる

　macOSでは、Safari上で利用するWebサービスやアプリのログイン情報（ID、パスワード）を保存し、次回のログイン時にすぐ呼び出して自動入力できる「キーチェーン」機能が搭載されている。キーチェーンの情報は、同じApple IDを使っているiPhoneやiPadにも自動同期されるので、複数のApple製端末を使っている人はさらに便利だ。他にも、新規アカウント作成時にパスワードを自動で生成する機能や、パスワードの使い回しや漏洩リスクを警告してくれる機能なども備えている。パスワード管理が安全かつ手軽になるので、ぜひ使いこなしてみよう。

iCloudのキーチェーンを 有効にしておこう

iPhoneやiPadともパスワードを同期したい場合は、システム設定の左上にあるApple ID名をクリック。「iCloud」→「パスワードとキーチェーン」をクリックし、「このMacを同期」のスイッチをオンにしておこう。

オンにする

Safariでログイン情報を保存して自動入力する

1 新規アカウント作成時に 安全なパスワードを自動生成

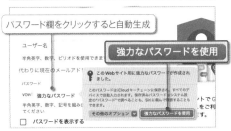

パスワード欄をクリックすると自動生成

強力なパスワードを使用

Webサービスやアプリの新規アカウントを作成する場合、自動的に強力なパスワードを生成してくれる。「強力なパスワードを使用」をクリックすれば、そのパスワードをキーチェーンに保存可能だ。

2 Webサイトログイン時に パスワードを保存しておく

SafariでWebサービスを既存のアカウントでログインした場合、上のような表示が出る。ここで「パスワードを保存」をクリックすれば、ログイン情報がキーチェーンに保存される。

3 キーチェーンに保存された ログイン情報を自動入力する

表示された候補から入力するものをクリック

キーチェーンに保存したログイン情報は、次回のログイン時に自動入力できる。ユーザ名やパスワード入力欄をクリックして候補を選ぼう。複数のアカウントがある場合は「その他のユーザ名／パスワード」から選べる。

4 ログイン情報が 自動入力された

自動入力される

Touch IDなどで認証を済ませれば、ユーザ名やパスワードが自動入力される。入力欄が黄色になっていれば、その情報は自動入力されたことを示している。

保存したパスワードを管理する

1 システム設定で パスワードを修正、削除する

「i」→「編集」でパスワードの編集や削除が可能だ

システム設定の「パスワード」を表示すれば、保存したパスワードを管理できる。修正や削除したいものがあれば、左の項目一覧にある「i」をクリックしてみよう。

2 パスワード漏洩の危険性を チェックする

使い回しているパスワードは各サイト上で変更しておこう

「セキュリティに関する勧告」が表示されている場合、クリックするとパスワードの使い回しや漏洩リスクのあるパスワードが表示される。チェックして対策しておこう。

⊂POINT

macのキーチェーンはそのほかにも さまざまな情報を保存できる

macOSのキーチェーンに保存されるのは、Webサイトやアプリのログイン情報だけではない。Mac、サーバなどのログイン情報およびクレジットカード情報や銀行口座のPIN番号など、さまざまな機密情報が保存される。現在キーチェーンに保存されている情報は、「キーチェーンアクセス」という標準アプリを使えばチェックできるので確認してみよう。なお、iCloudキーチェーンで他端末と同期できるのは、Safariの自動入力で使用しているWebサイトのログイン情報とクレジットカード情報、Wi-Fiネットワーク情報、および「メール」、「連絡先」、「カレンダー」、「メッセージ」で使用するアカウント情報に限られる。

012

ショートカット

作成したショートカットはiPhoneとも同期が可能

「ショートカット」アプリで よく行う操作を自動化する

毎日行っている操作を 登録して効率化しよう

macOSには、「ショートカット」アプリが搭載されている。macOSやアプリの機能を複数組み合わせて一連の操作を自動化し、「ショートカット」として登録、いつでも呼び出せるものだ。たとえば、「メモとSafariを起動して分割表示する」といった操作を普通に行うと、何度もクリックが必要で面倒だったりする。しかし、あらかじめショートカットに登録しておけば、ショートカットのボタン押すだけで実行できるのだ。よく使われるショートカットは「ギャラリー」からひな形が選べるので、初心者はそこから自分好みのショートカットを使ってみよう。なお、登録したショートカットはiPhoneやiPadにも同期できる。

ギャラリーからショートカットを追加して実行する

1 ショートカットアプリを 起動してギャラリーを表示

ショートカットアプリ（Launchpadの「その他」フォルダ内にある）を起動したら、まず「ギャラリー」を表示してみよう。ショートカットのひな形が並んでいるので、ここから使いたいものをクリックする。

2 ショートカットの設定を行って 追加する

ショートカットの説明が表示されるので「ショートカットを追加」をクリック。ショートカットの内容によっては、追加の設定が必要なのでそれも済ませておこう。ここでは「画面を2つのAppで分割」を追加してみた。

3 追加したショートカットを 確認して実行する

再生ボタンをクリックして実行

追加したショートカットは、サイドバーの「すべてのショートカット」をクリックすると確認できる。各ショートカットボタンにマウスカーソルを重ね、再生ボタンをクリックすればショートカットを実行可能だ。

4 ショートカットをメニューバーから すぐ実行できるようにする

クイックアクションやショートカットキーも登録できる

追加したショートカットは、メニューバーアイコンなどに登録して実行することができる。追加したショートカットボタンをダブルクリックして編集画面を開き、「i」ボタン→「メニューバーにピン固定」にチェックを入れよう。

5 ショートカットを 実行しよう

追加したショートカットを実行してみよう。「画面を2つのAppで分割」の場合は、設定した2つのアプリが左右に表示されるようになる。

自分だけのショートカットを新規作成してみよう

1 ショートカットを 新規作成する

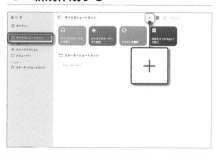

ギャラリーのひな形を使わず、新規にショートカットを作りたい場合は、「すべてのショートカット」を表示して画面上部にある「＋」をクリックしよう。

2 アクションを選んで ショートカットを作っていこう

画面右側にある「アプリ」タブ→「写真」→「最新のスクリーンショットを取得」をダブルクリックしてアクションを追加

ここでは「写真アプリ内にある最新のスクリーンショットをリサイズして保存する」というショートカットを作る。まずは「最新のスクリーンショットを取得」を追加しよう。

3 「候補」を表示して さらにアクションを追加して完成

「カテゴリ」タブ→「候補」を選び、「画像のサイズを変更」と「ファイルを保存」の2つを追加しておく

さらに「画像のサイズを変更」と「ファイルを保存」を追加し、各アクションの設定を済ませればショートカットの完成だ。画面上の再生ボタンでテスト実行できる。

013

アクセサリ

MacBookのモバイル活用に適したアイテムを厳選紹介
外出先で助かる
MacBook用良品アクセサリ

**本誌オススメの製品を
ピックアップ**

ここでは、MacBookを外出先に持ち出すときに、あると便利なアクセサリや周辺機器をいくつか紹介していこう。充電に使えるモバイルバッテリーや充電器は、長時間の外出作業時に必須。また、MacBookを傷や衝撃から守ってくれるケースもあると安心だ。

MacBook Airを
約1回分充電できる
超大容量モバイルバッテリー

**Anker Prime Power Bank
(27650mAh, 250W)**
メーカー／Anker
実勢価格／24,990円(税込)

MacBookはモバイルバッテリーからの給電も行える。長時間の外出作業で充電切れの心配をしたくないなら、Ankerの「Anker Prime Power Bank」のようなモバイルバッテリーを持っておこう。本製品は、27650mAhの超大容量かつ最大250Wという超高出力を実現。iPhone 15 Proを約5回、MacBook Airを約1回充電することが可能だ。USB-Cポート2つ、USB-Aポートを1つ搭載しているので、iPhoneやiPad、MacBookの3台を同時に充電することもできる。

持ち運びに重宝する
コンパクトな
急速充電器

**Anker 737 Charger
(GaNPrime 120W)**
メーカー／Anker
実勢価格／12,900円(税込)

MacBook付属のUSB-C電源アダプタは意外とサイズが大きく、持ち運び時にかさばってしまうことがある。そこでおすすめしたいのが「Anker 737 Charger」だ。最大120W（1ポートでの最大出力は100W）というパワフルな出力ながら、一般的な94W出力の充電器（MacBook Pro14インチや16インチに付属のもの）よりも約40%小さいサイズを実現。

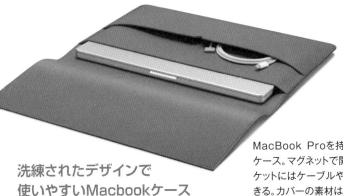

洗練されたデザインで
使いやすいMacbookケース

von Holzhausen MacBook 16インチ Portfolio
メーカー／von Holzhausen 実勢価格／15,800円(税込)

MacBook Proを持ち歩くときに便利なケース。マグネットで開閉でき、大きめのポケットにはケーブルやメモ帳なども収納できる。カバーの素材は丈夫で汚れに強い人工レザーで、裏地には柔らかなマイクロファイバーが使われている。

スクリーンを保護して覗き見を防止

**Kensington UltraThin Magnetic Privacy
Screen Filter for 16インチMacBook Pro**
メーカー／Kensington 実勢価格／9,800円(税込)

マグネット式でMacBook Proのディスプレイに隙間なく装着でき、すぐに取り外せるスクリーンフィルター。視野角度を30度前後の範囲内に制限して覗き見を防止できる。

MacBookの外側を
しっかり保護するケース

**Tech21 Evo Hardshell Case for
16インチMacBook Pro**
メーカー／Tech21 実勢価格／13,400円(税込)

MacBookを傷や衝撃から守りたいなら、外観全体をすっぽりと覆うハードシェルタイプのケースを利用したい。Tech21の「Evo Hardshell Case」は、超薄型で軽量ながら、耐衝撃素材を採用した多層プロテクターによりMacBookを日常的な衝撃や擦り傷から保護してくれる。

014

アプリ

Macユーザーなら必須の定番アプリを試してみよう
まずはインストールしたい
おすすめアプリ集

Google日本語入力で文字入力をもっと快適に

macOS標準の日本語入力が使いにくいときに試そう

　macOS標準の日本語入力システムが使いづらいと感じた人は、他社製の日本語入力システムも試してみよう。代表的なものは「Google日本語入力」が挙げられる。Webサイトなどで使われる膨大な語彙から辞書を作成しているので、最新ニュースのキーワードや珍しい人名、流行っている店名、ネットスラングなどをスムーズに変換できるのが特徴。堅苦しいビジネス文章だけでなく、SNSで用いるような砕けた表現にも対応しているので使いやすい。入力ミスを正しい文字に補完してくれる機能もあり、文字入力が効率化できる。

Google日本語入力
作者／Google
価格／無料
入手先／https://www.google.co.jp/ime/

Google日本語入力をインストールして設定する

1 Google日本語入力をインストールする

> この画面では「有効にする」選んでおくこと

まずは、Googleの公式サイトからGoogle日本語入力をダウンロードして、インストールしよう。上の画面では「有効にする」を選択しておく。なお、MacBookの環境によっては、以降の手順でGoogle日本語入力の入力ソースを手動で有効にしておく必要がある。

2 システム設定で入力ソースの設定をする

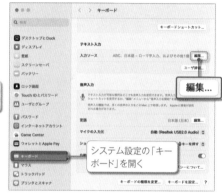

> システム設定の「キーボード」を開く

「システム設定」の「キーボード」を開き、「テキスト入力」の「入力ソース」欄にある「編集」をクリック。

3 入力ソースを確認して追加する

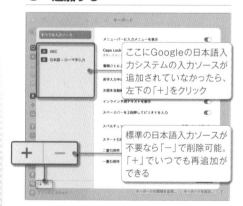

> ここにGoogleの日本語入力システムの入力ソースが追加されていなかったら、左下の「＋」をクリック

> 標準の日本語入力ソースが不要なら「−」で削除可能。「＋」でいつでも再追加ができる

入力ソース一覧を確認し、Googleの日本語入力システムが追加されていなかったら、画面左下の「＋」をクリックして追加しておこう。

4 Google日本語入力の入力ソースを追加しておく

> 言語を選び、入力ソースを選択して「追加」をクリック

Google日本語システムの入力ソース（青いアイコン）を選ぶ。最低限追加しておきたいのは「日本語」の「ひらがな(Google)」と「英語」の「英数(Google)だ。」

5 日本語入力システムを切り替える

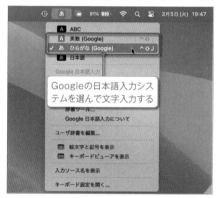

> Googleの日本語入力システムを選んで文字入力する

インストールが終わったら、メニューバーの日本語入力アイコンをクリック。Google日本語入力システムの入力ソースに切り替えて文字入力してみよう。

気になるポイント

文章を書く仕事の人にはATOKがおすすめ

プロのライターなどによく使われているATOKは、現時点で最も優れた日本語入力システムだ。他社アプリの追随を許さない高い変換精度はもちろん、日本語表現の間違いを指摘してくれたり、言葉の別の表現を提案してくれたりなど、使うだけで自分の文章力がアップするような機能が魅力となっている。月額課金制のサブスクリプションサービスで、プレミアムプランであればMac版だけでなく、Windows版、Android版、iOS版も使うことが可能だ。

**ATOK for Mac
(ATOK Passport)**
作者／ジャストシステム
価格／ベーシックプラン:月額330円(税込)、プレミアムプラン:月額660円/年額7,920円(税込)
入手先／https://atok.com/mac/

いつもの操作を劇的に高速化できるランチャーアプリ

ショートカットキーで
あらゆる操作を効率化

　「Raycast」は、ショートカットキーやコマンド入力でさまざまな操作を素早く行える無料のランチャーアプリだ。macOSに標準搭載されているSpotlightの機能を超強力にしたものと考えればいい。インストール後、アプリはメニューバーに常駐し、「option」+スペースキーでいつでもランチャー画面を呼び出すことができる。最も基本の使い方としては、アプリ名を文字入力して検索し、「return」キーで即座に起動するといったもの。さらに、あらかじめ用意されたコマンドを入力することで、ファイル検索やカレンダーの確認、クリップボード履歴、定型文（スニペット）の呼び出し、ウインドウの位置・サイズ調整など、さまざまな機能を利用可能だ。また、月額8ドルでPro版にアップグレードすれば、ChatGPTを使ったAI機能が追加され、素早く質問に回答してくれるようになる。使いこなせば各種操作が高速化して生産性も向上するので、早速試してみよう。

Raycast
作者／Raycast Technologies, Ltd.,
価格／無料(Pro版は月額8ドル)
入手先／https://www.raycast.com/

1 「option」+スペースキーでRaycastを起動する

Raycastが起動

Raycastはメニューバーに常駐するタイプのアプリだ。「option」+スペースキー(初期設定時)を押せば、画面中央にRaycastの画面がいつでも表示される。

2 キーワードを入力してアプリを素早く起動する

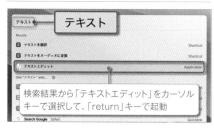
テキスト

検索結果から「テキストエディット」をカーソルキーで選択して、「return」キーで起動

Raycastは、文字入力やショートカットキーで操作するのが基本。たとえば「テキスト」と入力して「テキストエディット」を検索して、「return」キーですぐ起動できる。

3 コマンドを使ってファイルを検索

「Search Files」コマンドを検索

ファイル検索画面になる

コマンド入力でさまざまな機能も使える。たとえば、「sf」と入力して表示された候補から「Search Files」コマンドを実行すれば、ファイル検索が可能だ。

4 クリップボードの履歴も呼び出せる

Raycastから呼び出せるほぼすべてのアプリやコマンドなどが一覧表示される

呼び出せるアプリやコマンドなどの機能は、拡張機能として登録されている。Raycastのメニューバーアイコンから「Settings」で設定画面を開き、「Extentions」画面で呼び出せる機能の全体像をチェックしておこう。

PDFに手書きメモや注釈を自由に挿入できる

PDFの書類や資料を
編集して書き出せる

　「PDF Viewer Pro PSPDFKit」は、PDFに注釈を挿入したり、手書きメモを書き込んだりできるアプリだ。無料のPDF編集アプリの中でもトップクラスに操作性が高く、必要十分な編集機能が用意されているのが特徴。たとえば「注釈」ツールでは、テキストのハイライトやテキスト入力、フリーハンドでの描画、各種図形の挿入など各種注釈ツールが利用できる。また、「書類エディタ」ツールでは、ページの削除や回転、抽出などが可能だ。もちろん、編集したPDFは共有ボタンからAirDropやメール、メッセージなどで共有したり、PDFとして書き出すことができる。メールで受け取った書類に修正指示を加えたり、リモート会議やオンライン授業で配られた資料に書き込みをしたいときな重宝するので使ってみよう。なお、有料のPro版（3ヶ月で800円）を購入すれば、より高度な機能も使えるようになる。

PDF Viewer Pro PSPDFKit
作者／PSPDFKit GmbH
価格／無料
入手先／App Store

1 PDFを開いて「注釈」ボタンをクリック

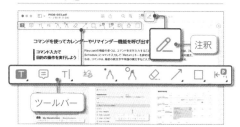
注釈
ツールバー

アプリを起動し、編集したいPDFを開こう。画面右上にある「注釈（ペンのアイコン）」ボタンをクリックしたら、ツールバーから使いたいツールを選ぼう。

2 ツールバーに表示されないツールを選ぶには?

注釈を挿入する
コールアウト

メニューバーの「注釈」からは、ツールバーに表示されていないツールが選べる。上の画像は、「コールアウト」を選択して注釈を入力してみた例だ。

3 ページの削除や回転、抽出なども行える

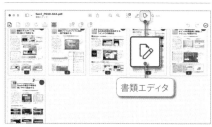
書類エディタ

画面右上にある「書類エディタ」ボタンをクリックすると、ページの削除や回転、抽出などが行える。編集対象のページを選択した状態で、ツールバーから作業を選ぼう。

4 編集したPDFを書き出す

共有
書き出す

編集したPDFを書き出すには、画面上部の「共有」ボタンを押して、「書き出す」タブをクリック。注釈の処理を選んで「書き出す」をクリックすればいい。

動画編集をスピーディかつ高品質にこなせる無料アプリ

ハリウッドでも使われている 高性能な動画編集ツール

「DaVinci Resolve」は、プロフェッショナルな編集を実現するハイエンドな動画編集アプリだ。無料アプリにもかかわらず、カット編集やトランジション、タイトル（字幕）、エフェクトなど、動画編集アプリに必要な機能はほぼ網羅。より高度な機能を搭載した有料バージョン（47,980円）も用意されているが、一般的なYouTubeの動画編集用途なら無料版で十分だ。多機能なわりに画面がごちゃつかず、直感的に操作できるインターフェイスも秀逸。頻繁に使うトランジションやタイトルといった機能にはすぐアクセスできるため、思い付いたアイディアを即座に反映させやすく、複雑な編集も高速にこなすことができる。なお、App Storeからダウンロードしたバージョンは一部機能に制限があるため、できれば公式サイトから直接ダウンロードした方がいい。

DaVinci Resolve
作者／Blackmagic Design Inc
価格／無料
入手先／https://www.blackmagicdesign.
com/jp/products/davinciresolve

1 アプリを日本語化して 初期設定を済ませておく

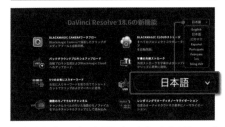

アプリを起動して上の画面になったら、右上のドロップダウンメニューから「日本語」を選択。表示される指示に従って初期設定を済ませておこう。

2 新規プロジェクトで素材を メディアプールに取り込む

新規プロジェクトを作成したら、動画の素材となる各種ファイルをメディアプールにドラッグ＆ドロップ。画面下のタイムラインに並べて動画を編集していこう。

3 トランジションで シーンをつなげる

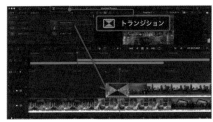

別々のシーンをうまくつなぐには、「トランジション」を活用する。「トランジション」をクリックして適用したい効果をタイムライン上にドラッグ＆ドロップすればいい。

4 完成動画はYouTubeなどに すぐアップロードできる

動画が完成したら「クイックエクスポート」で動画をエンコードできる。YouTubeに最適な形式で変換して、そのままアップロードできるので面倒な設定も不要だ。

トラックパッドのドラッグ＆ドロップ操作をより快適にする

ドラッグ＆ドロップした項目や データを一時的に保管する

「Yoink」は、フォルダやウインドウ、操作スペース間でのドラッグ＆ドロップ操作がスムーズに行えるようになるユーティリティアプリだ。Yoinkを起動した状態でファイルをドラッグすると、画面左端に小さなウインドウが表示される。ここにファイルをドロップすると一時的に保管することが可能だ。あとは移動先やコピー先のフォルダやウインドウを表示して、ファイルをドラッグ＆ドロップすればいい。また、複数の項目をドロップすると、自動で1つの項目としてスタックしてくれるため、複数ファイルをまとめて移動させたい際にも便利だ。トラックパッドを使ったドラッグ＆ドロップによる移動やコピー操作がとてもやりやすくなるので、ぜひ導入しておこう。なお、YoinkはiOS版のアプリ（900円）もあり、iPhone、iPad、Mac間で項目をやり取りすることも可能だ。

Yoink
作者／Matthias Gansrigler
価格／1,200円
入手先／ App Store

1 ファイルやフォルダをドラッグして Yoinkのウインドウにドロップ

ファイルやフォルダなどの項目をドラッグすると、Yoinkのウインドウが画面左端に表示される。そのウインドウ内にドロップすると、項目が一時的に保管される。

2 一時保管した項目を 移動もしくはコピーする

次に移動先のフォルダを開き、Yoinkのウインドウから項目をドラッグ＆ドロップして移動しよう。「option」キーを押しながらドラッグすれば項目のコピーも可能だ。

3 ドラッグできるものなら 何でも一時保管＆移動できる

Yoinkでは、ファイルやフォルダ以外にも、ブラウザで表示しているテキストや画像など、ドラッグ＆ドロップできる項目であれば一時保管が可能だ。

4 操作スペース間での ドラッグ＆ドロップも楽になる

別の操作スペース間で項目をドラッグ＆ドロップしたいときは、Yoinkを一旦介すとスムーズに操作できる。フルスクリーン表示中のアプリでも利用可能だ。

アプリのアンインストールを行うなら必須のアンインストーラー

アプリに関連するファイルを根こそぎ削除できる

　macOSでアプリをアンインストールする場合、Launchpadから削除するか、アプリケーションフォルダ内のAppファイルをそのままゴミ箱に捨てて削除してしまえばいい。ただ、この方法だと、削除したアプリに関連するファイルや設定が一部システムに残ってしまう。多くの場合は問題にならないが、不要なデータでストレージ容量を圧迫してしまうだけでなく、場合によっては何らかの不具合が発生することもまれにあるのだ。そうならないように、アプリのアンインストールには「App Cleaner」を利用するといい。アンインストールしたいアプリのAppファイルをドラッグ&ドロップするだけで、そのアプリに関連するファイルを自動で検索。Appファイル本体だけでなく、関連する不要なファイルを一気に削除することが可能だ。MacBookで多種多様なアプリを試したいのであれば、必須のアプリといえる。

App Cleaner
作者／FreeMacSoft　価格／無料
入手先／https://freemacsoft.net/appcleaner/

1 公式サイトからアプリをダウンロードする

Appファイルをアプリケーションフォルダに入れる

App Cleanerは、公式サイトから入手できる。アプリをダウンロードしたら、Appファイルを「アプリケーション」フォルダに入れておこう。

3 関連するファイル一覧が表示される

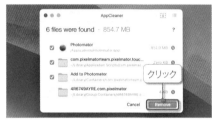

クリック

そのアプリに関連しそうなファイルが一覧表示される。削除したいものにチェックを入れて「Remove」をクリックすれば、即座にアンインストールが行われる。

2 アンインストールしたいアプリをドラッグ&ドロップする

ドラッグ&ドロップする

App Cleanerを起動したら、アンインストールしたいアプリのAppファイルをドラッグし、App Cleanerのウインドウ内にドロップしよう。

4 リスト表示でアプリ一覧から削除できる

ウインドウ右上にあるリスト表示ボタンをクリックすると、インストールされているアプリ一覧が表示される。そこから各種アプリをアンインストールすることも可能だ。

豊富なウィジェットが用意された見やすいカレンダーアプリ

標準カレンダーやリマインダーと同期して使える

　macOS標準のカレンダーアプリは、デザインや機能がシンプルで使いやすいが、予定をしっかり管理しようとすると、機能的に色々と物足りなく感じることが多いのではないだろうか。そんな人は「FirstSeed Calendar」を使ってみよう。macOS標準のカレンダーやリマインダーと同期し、「日曜日の夜7時に食事会」といった自然言語でのスピーディな予定入力に対応。毎日のイベントやタスクを効率良く一括管理できる。さまざまなサイズや表示形式のウィジェットも用意されており、通知センターからカレンダーやリマインダーの内容をさっと確認できるのも魅力だ。もちろん、iCloudカレンダーやGoogleカレンダーなど各種カレンダーサービスと同期可能。iPhoneやiPad、Apple Watch用のアプリも登場しているので、気になる人はそちらもチェックしてみるといい。

FirstSeed Calendar
作者／FirstSeed Inc
価格／3,000円
入手先／App Store

1 自然言語で予定を素早く追加できる

日曜日の夜7時に食事会

アプリを起動したら、「+」ボタンを押してカレンダーに予定を追加してみよう。「日曜日の夜7時に食事会」といったように、自然言語で予定を素早く追加できる。

3 ウィジェットを追加してみよう

メニューバーの日付をクリックして通知センターを表示し、「ウィジェットを編集」から選べる

さまざまなサイズや種類のウィジェットが用意されているのも特徴だ。通知センターを表示して「ウィジェットを編集」で「FirstSeed Calender」から設定しよう。

2 リマインダー機能も搭載している

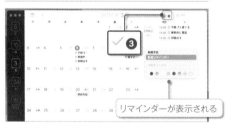

リマインダーが表示される

画面右上のチェックマークをクリックすれば、画面右側にリマインダー機能が表示される。リマインダーを追加するには、右クリックして「新規リマインダー」を選ぼう。

気になるポイント

Googleカレンダーなどを同期したい場合は?

Googleカレンダーなど、外部のカレンダーサービスを追加したい場合は、Appleメニューなどから「システム設定」を開き、「インターネットアカウント」→「アカウントを追加」で登録したいカレンダーサービスをあらかじめ登録しておこう。

あらゆる圧縮ファイルを即座に展開できる

macOSは標準でZIP形式の圧縮ファイルを展開（解凍）することが可能だ。しかし、RARや7-ZIPなど、そのほかの圧縮ファイル形式を展開したい場合は、別のアプリが必要となる。そこでインストールしておきたいのが、シンプルで使いやすい「The Unarchiver」。インストールして初期設定を済ませれば、あらゆる圧縮ファイルをダブルクリックだけで展開できるようになる。

The Unarchiver
作者／MacPaw Inc.
価格／無料
入手先／App Store

インストールしたらアプリを起動。環境設定画面が表示されるので、The Unarchiverで開く圧縮ファイル形式や展開先のフォルダなどを設定しておこう。

ストレージの使用状況を詳細に確認できる

「システム設定」→「一般」→「ストレージ」では、何のフォルダがどれくらい容量を使っているかを把握できない。しかし「DaisyDisk」を使えば、カラフルな同心円状の画面で、フォルダやファイルの使用状況を詳細に確認できる。サイズが大きいとブロックも大きく、円の外側ほど深い階層になる。各ブロックをクリックすると、そのブロックを起点に同心円が作成される。

DaisyDisk
作者／Software Ambience Corp.
価格／1,500円
入手先／App Store

同心円状のグラフにポインタを乗せると、右側で詳細な使用状況を確認できる。サイズが大きい不要なファイルを、ドラッグ&ドロップで削除することも可能だ。

効率的にメールを管理できるIMAP専用アプリ

「Spark」は、複数のメールアカウントを一括管理し、重要だと判断されたメールを受信トレイ上部で優先表示してくれるIMAP専用の定番メールアプリだ。受信したメールはメールマガジンやサービス通知などのグループに自動で振り分けられるほか、アカウントごとの通知設定や、重要なメールのみ通知する「スマート通知」などさまざまな機能を備える。

Spark
作者／Readdle Technologies Limited
価格／無料
入手先／App Store

重要な未読メールが上部に表示され、既読メールは下部に表示される。確認や返信などの対応が完了したメールは、アーカイブして整理するとより使いやすい。

クリップボードの履歴や定型文をすぐに呼び出る

「Clipy」は、シンプルで使い勝手の良いクリップボード拡張アプリだ。過去にコピーしたテキストや画像などを履歴として蓄積し、必要なときに呼び出して貼り付けることができる。また、よく使う文章をスニペット（定型文）として登録しておき、いつでも呼び出せる機能も搭載。スニペットの登録は、ステータスメニューから「スニペットを編集」を選んで、フォルダを追加すれば可能だ。

Clipy
作者／Clipy Project
価格／無料
入手先／https://clipy-app.com/

Clipyのメニューは「shift」+「command」+「V」キーなどのショートカットキーで呼び出すことができる。ここから過去の履歴やスニペットを貼り付けることが可能だ。

Photoshop並に使いやすい本格的な画像編集アプリ

「Pixelmator」は、強力な画像編集機能を備えた画像編集アプリだ。手頃な価格ながら、プロ用画像編集アプリの定番である「Photoshop」並の機能が揃っているのが特徴。機械学習アルゴリズムで写真を自動補正する「ML自動補正」や、不要なゴミなどをキレイに削除できる「修復」ツール、被写体の背景を簡単に消せる「スマート消去」ツールなど先進的な機能を搭載している。

Pixelmator Pro
作者／Pixelmator Team（公式サイトで7日間試用できるトライアル版を入手可）
価格／7,000円
入手先／App Store

手っ取り早く写真の色補正をしたい場合は、右端から「カラー調整」を選び、「ML自動補正」をクリックしよう。機械学習アルゴリズムで最適な色に補正してくれる。

スケジュールとタスクを一括で管理したいなら

「Get Plain Text」は、コピーされたテキストをプレーンテキスト化してくれるユーティリティだ。ウェブサイトやPDFファイルからコピーしたテキストをメールなどに貼り付けると、文字色や太字といった書式情報もそのまま反映されることがある。こういった書式情報が不要なら、このアプリを使い、テキストをプレーンテキストに変更してからテキストエディタに貼り付けるといい。

Get Plain Text
作者／Alice Dev Team
価格／無料
入手先／App Store

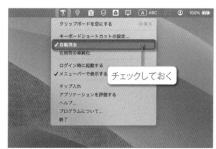

ステータスバーで「Get Plain Text」のメニューを開き、「自動消去」にチェック。これだけで、コピーした書式付きのテキストがプレーンテキストになる。

高速かつ美しくメモできる Markdown対応メモアプリ

「Bear」は、ちょっとしたメモはもちろん、ブログ記事などの長文執筆にも適した高性能なメモアプリだ。段落や見出し、リンク、太字などの書式をMarkdown記法でスピーディに指定できるため、階層的で複雑な構造をもつ文章でも効率的に作成することが可能。Markdown記法がよくわからなくても、スタイルパネルから主要な書式が呼び出せるので、誰でも簡単に扱える。

Bear
作者／Shiny Frog Ltd.
価格／無料
入手先／App Store

上部の「BIU」ボタンをタップするとスタイルバーが表示され、各種書式を適用できる。各書式のショートカットキーを覚えればよりスピーディな編集が可能だ。

簡単操作で隙間なく ウインドウを配置できる

「BetterSnapTool」は、ウインドウを画面の端にドラッグすることで、ウインドウサイズや位置を自動的に調整してくれるというアプリ。たとえば、ウインドウを画面上端にドラッグすれば全画面表示、画面左端にドラッグすれば画面半分のサイズで左側に表示、右上隅にドラッグすれば画面1/4サイズで右上に表示してくれる。複数のウインドウを隙間なく配置したいときに便利だ。

BetterSnapTool
作者／folivora.AI GmbH
価格／400円
入手先／App Store

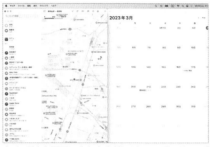

ウインドウを画面の上か左右端、または四隅にドラッグしてみよう。ドラッグした位置に応じて、ウインドウサイズや位置が最適な状態にスナップされる。

わからない英文はDeepLで スピーディかつ正確に翻訳

最先端のAI翻訳技術を採用し、正確かつ自然な翻訳ができるとして人気のオンライン翻訳サービス「DeepL」。このDeepLをさらに気軽に使いたいなら、macOS用の公式アプリを使おう。アプリを起動したら、翻訳したい文章を選択し、「command」キーを押しながら「C」キーを2回押すとすぐに翻訳される。PDFやWord、PowerPointファイルを翻訳することも可能だ。

DeepL
作者／DeepL SE
価格／無料
入手先／https://www.deepl.com/ja/macos-app/

常時起動させておけば、必要なときにショートカットキーですぐに翻訳できるので便利。画面上のテキストをキャプチャして翻訳する機能も搭載されている。

あらゆるファイル形式に 対応した動画プレイヤー

「IINA」は、モダンなデザインを採用したメディアプレイヤーだ。ほぼすべての動画ファイル形式に対応し、QuickTime Playerでは再生できないWindows Media Video（WMV）形式などにも対応。プレイリスト作成や再生速度の調整なども行えるほか、プレイヤー上のボタンで、ピクチャー・イン・ピクチャー再生やプレイリスト表示、クイック設定などを呼び出せる。

IINA
作者／iina.io
価格／無料
入手先／https://iina.io/

コントローラの「…」をクリックするとクイック設定が開き再生速度などを変更できる。オーディオ→「オーディオディレイ」で音ズレも調整できる。

フォルダごとに色分けして 管理しよう

「カメレオン」は、フォルダの色を自由に変更できるアプリだ。アプリを起動したら、表示された画面にフォルダをドラッグ&ドロップ。好きな色を選択して「保存」をクリックしよう。これでフォルダの色が変更される。また、「シンボル」欄のボタンをクリックすると、フォルダに好きなシンボルマークを付けることが可能だ。シンボルの色や大きさも調節できる。

カメレオン
作者／少兵 付
価格／無料（正式版は400円）
入手先／App Store

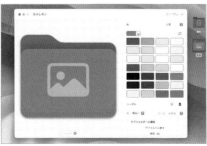

フォルダをウインドウ内にドラッグ&ドロップし、カラーやシンボルを選択しよう。無料版ではフォルダの色変更が10回までに制限される。

メニューバーから 設定を切り替えられる

「OnlySwitch」は、さまざまな設定のオン／オフをメニューバーから即座に切り替えできるユーティリティだ。起動するとメニューバーにアイコンが表示されるのでクリックしよう。「デスクトップアイコンを隠す」、「ダークモード」、「ミュート」、「隠しファイルを表示」など、さまざまな設定がスイッチとしてリスト表示されるので、切り替えたいものをクリックすればいい。

OnlySwitch
作者／jacklandrin
価格／無料
入手先／https://github.com/jacklandrin/OnlySwitch

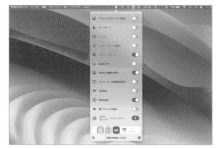

表示されるスイッチ項目はカスタマイズが可能だ。右下の歯車ボタンをクリックして設定画面で「カスタマイズ」を選んだら、表示したいものをチェックしよう。

04

iPhone&iPad との連携操作法

MacBookとiPhone&iPadの相性は抜群だ。macOSは、アップデートと共にiOSや iPadOSとの親和性を高めている。iCloudを使ったデータの同期はもちろん、iPhone &iPadをそばに置くことでMacBookの機能を拡張できるさまざまな仕組みを活用 できる。まずは、どのように認識、連携できるのか、その概要を右ページで把握しよう。

MacBookとiPhoneやiPadを連携する仕組みを理解する

MacBookとiPhone／iPadを連携する3つの方法

1 iCloudで同期

iCloudに保存されたデータをそれぞれのデバイスで同期する使い方。MacBookの標準アプリの多くはiCloudで同期して、iPhoneやiPadでも同じデータを利用できる。

2 接続して同期

MacBookとiPhoneやiPadをUSBケーブル(またはWi-Fi)で直接接続すると、FinderでiPhoneやiPadを管理できる。iPhoneやiPadのアプリ内にファイルを転送するといった操作も可能。

3 その他の連携方法

それぞれのデバイスで同じApple IDを使ってサインインし、Bluetooth、Wi-Fi、Handoffをオンにしておくと、他のデバイスで途中の作業を引き継いだりディスプレイを共有できる。

iPhoneやiPadと直接接続する方法と画面の見方

MacBookとiPhoneやiPadを連携させる方法としては、上記の3パターンがある。iCloudでの同期方法は、P056やP067でも解説しているのでご確認いただきたい。この章では、3つの連携方法を使ったさまざまな機能や使い方を紹介する。まず最初に、MacBookとiPhoneやiPadを直接ケーブル(やWi-Fi)で接続する操作と、管理画面の見方を確認しておこう。MacBookとiPhoneやiPadをケーブルで接続すると、Finderのサイドバーの「場所」欄に、iPhoneやiPadの名前が追加される。これをクリックすると管理画面が表示され、上部のメニューで「ミュージック」「映画」「テレビ番組」「ブック」「写真」など、アプリやコンテンツごとに同期する項目を設定できる。また「一般」ではバックアップや復元の操作も可能だ。なお、iCloudで「ミュージック」や「写真」の同期機能を有効にしていると、Finderの画面では「ミュージック」や「写真」の項目を操作できない点に注意しよう。

MacBookとiPhoneやiPadを直接接続する

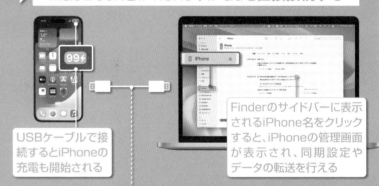

USBケーブルで接続するとiPhoneの充電も開始される

Finderのサイドバーに表示されるiPhone名をクリックすると、iPhoneの管理画面が表示され、同期設定やデータの転送を行える

USB-Cケーブルで接続

MacBookとiPhoneやiPadを接続するには、MacBookのUSB-CポートとiPhoneおよびiPadのUSB-C(もしくはLightning)ポートを接続するケーブルが必要。基本的にはiPhoneやiPadの充電に使っているケーブルをそのまま使用できる。ケーブルがない場合は、Apple純正の「60W USB-C充電ケーブル」(1mで税込み2,780円)などを購入しよう。

初めて接続した時は「信頼」をクリック

MacBookとiPhoneやiPadを初めて接続すると、それぞれの画面で接続したデバイスを信頼するか、確認画面が表示される。双方で「信頼」をクリックすれば、FinderでiPhoneやiPadの同期を設定できるようになる。

iPhoneやiPadをWi-Fiで接続する

初回接続時にはUSBケーブルが必要だが、「一般」タブの「Wi-FiがオンになっているときにこのiPhone(iPad)を表示」にチェックしておけば、ケーブルで接続しなくてもWi-Fiで無線接続できるようになる。

iPhoneとiPadの同時接続も可能

iPhoneやiPadを個別に接続しなくても、ケーブルやWi-Fiで複数のデバイスを接続しておけば、「場所」欄にそれぞれのデバイス名が表示され、クリックして管理画面を切り替えて操作できる。

MacBookとiPhoneやiPadで音楽ライブラリを同期する

MacBookのライブラリ内にある曲をiPhoneやiPadで聴けるように同期するには、Finderを使って直接転送するほかに、「iCloudミュージックライブラリ」を使う方法がある。こちらの方が便利なので、Apple Musicなどに登録済みなら活用しよう。

iCloudミュージックライブラリを理解する

手持ちの曲をすべてアップロードしておける

Apple Music（P082で解説）を登録すると利用できるのが、「iCloudミュージックライブラリ」だ。これはiCloudの容量とは別に、最大10万曲まで保存できる音楽専用のクラウドスペースで、MacBook内にある音楽ファイルもすべてアップロードできる機能だ。つまり、MacBookにしかない音楽CDから取り込んだ曲も、iCloudミュージックライブラリに保存しておくことで、iPhoneなどで同期して再生できるようになるのだ。ただしApple Musicを解約すると使えなくなるため、クラウド上にあるからといってMacBookにある元の曲ファイルを消さないようにしよう。

iCloudミュージックライブラリを有効にする

iCloudミュージックライブラリですべての曲を同期

ミュージックアプリで音楽CDから取り込んだ曲などは、すべてiCloudミュージックライブラリにアップロードされる

iPhoneのミュージックアプリでも、MacBookとまったく同じライブラリやプレイリストを表示して再生できるようになる

iCloudミュージックライブラリの利用条件

「iCloudミュージックライブラリ」による同期を有効にするには、Apple Musicか、iTunes Matchの契約が必要となる。Apple Musicの登録方法はP082で詳しく解説している。iTunes Matchの登録方法は次ページを参照。

1 MacBook側で機能を有効にする

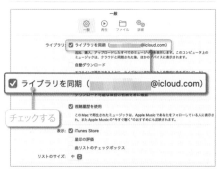

チェックする

MacBookでは、ミュージックアプリのメニューバーから「ミュージック」→「設定」→「一般」で「ライブラリを同期」にチェック。MacBookのすべての曲がiCloudミュージックライブラリにアップロードされる。

2 iPhone側で機能を有効にする

オンにする

iPhoneでは、「設定」→「ミュージック」→「ライブラリを同期」をオンにしよう。MacBookとまったく同じライブラリやプレイリストがiPhone側にも表示され、ストリーミング再生したりダウンロードできるようになる。

MacBook内の曲をiPhoneで削除した時

MacBook内の曲をiPhoneの操作でライブラリから削除しても、MacBook内の曲は削除されない。「×」が表示されたクラウドボタンをクリックし、「クラウドミュージックライブラリに追加」でクラウド上のライブラリに再アップできる。

POINT

ライブラリへの追加やダウンロードにも必要

「iCloudミュージックライブラリ」は、MacBook内の曲をアップロードする以外に、Apple Musicの曲をライブラリに追加して管理するのにも必要な機能となる。iPhoneなどでApple Musicの曲を検索し、直接ストリーミング再生することは可能だが、ライブラリに追加しないとプレイリストなども作成できないし、ダウンロード保存もできない。特に理由がない限りオンにしておこう。

MacBookとiPhoneやiPadを直接接続してFinderで同期

直接接続した場合は Finderで同期を管理する

Apple Musicを利用していないなら、Mac BookとiPhoneやiPadをUSBケーブルなどで直接接続して、Finderで曲を同期しよう。選択したアーティストやアルバムの曲のみを同期することもできる。なお、Apple Musicに加入中でも、iPhoneの「ライブラリを同期」をオフにすればFinderを使って手動で曲を転送できるが、「ライブラリを同期」を有効にして、iCloud上にある全ての曲から必要な曲だけダウンロードした方が早い。

1 iPhoneを接続して Finderで開く

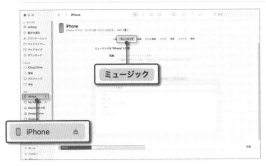

iPhoneをMacBookに接続したら、FinderのサイドバーでiPhone名をクリック。上部のメニューで「ミュージック」タブを開こう。この画面でミュージックの同期を設定できる。

2 ライブラリ全体を 同期する

「ミュージックを"○○"と同期」にチェックし、その下の「ミュージックライブラリ全体」を選択すると、MacBookのミュージックライブラリ全体をiPhoneと同期することができる。

3 プレイリストを 同期する

一部の曲やアルバムだけ同期したい時は、同期用のプレイリストを作成しておくと便利。「選択した」~にチェックして「プレイリスト」画面を開き、同期用のプレイリストにチェックしよう。

4 ドラッグ&ドロップで 曲を転送する

ミュージックアプリでデバイス欄のiPhone名にドラッグ&ドロップ。転送できないときは、FinderのサイドバーでiPhone名をクリックし、「一般」タブの「ミュージック、映画、テレビ番組を手動で管理」にチェックする

iPhoneを接続しているとミュージックアプリの「デバイス」欄にもiPhone名が表示される。ミュージックアプリのアルバムを、このiPhone名にドラッグ&ドロップして手動で転送することも可能だ。

iTunes Matchを利用する

ライブラリの同期機能 のみ利用できるサービス

手持ちの曲をクラウドに保存して同期できる「iCloudミュージックライブラリ」の機能が必要なだけで、Apple Musicの定額聴き放題のサービスは不要なら、「iTunes Match」というサービスも用意されており、年額3,980円で利用できる。Apple Musicと違って、クラウド上で管理する曲がDRM（デジタル著作権管理）で保護されないので、サービスを解約したあとでもiPhoneやiPadにダウンロード済みの曲はそのまま残り再生できる点がメリットだ。

1 ミュージックで iTuensストアを開く

表示されない場合は、メニューバーの「ミュージック」→「設定」→「一般」タブで「iTunes Store」にチェック

iTunes Matchに登録するには、ミュージックアプリを起動して、サイドバーの「iTunes Store」をクリック。一番下の「特集」メニューにある「iTunes Match」をクリックしよう。

2 このコンピュータを 追加する

「年間サブスクリプション料￥3,980」をクリックして購入処理を済ませる。購入が済んだらもう一度同じ画面を開いて「このコンピュータを追加」をクリックし、ライブラリをアップロードしておこう。

◯ POINT

各種音楽ファイルを 同期するには

保存しているMP3ファイルや、Bandcampなどで購入した曲ファイルをミュージックアプリに読み込むには、Finderからミュージックアプリの「ライブラリ」欄に曲ファイルをドロップすればよい。「ミュージック」フォルダにコピーが保存されて、ミュージックアプリのライブラリに登録される。元のファイルは現在の場所に残ったままになる。

曲やフォルダを「ライブラリ」欄にドロップ

MacBookとiPhoneやiPadで写真を同期する

「iCloud写真」を有効にすることで、iPhoneやiPadで撮影した写真はすべてiCloud上に保存され、MacBookからもすぐに表示して楽しめるようになる。iCloud写真を使わずに、写真を同期したり転送する方法もあわせて紹介する。

iCloud写真を有効にして写真を同期する

iPhoneやiPadの写真と同期するもっとも手軽な方法

iPhoneやiPadで撮影した写真やビデオをMacBookと同期しておけば、MacBookの写真アプリでも同じ写真を楽しめる。逆にMacBook上で写真アプリに取り込んだ写真をiPhoneやiPadで見ることもできる。この写真の同期を最も手軽に実現できる機能が「iCloud写真」だ。それぞれのデバイスで機能を有効にしておけば、撮影した写真や取り込んだ写真はすべてiCloud上に自動アップロードされるようになり、各デバイスはいつでもiCloud上のすべての写真を表示できるようになる。どのデバイスから見ても常に同じ状態で表示されるように「同期」する機能なので、iPhoneで写真を削除するとMacBookのライブラリからも写真が消えるし、MacBookで編集を加えた写真はiPhoneでも編集された状態で表示される。なお、写真やビデオを保存するのにiCloudの容量を消費するので、頻繁に写真やビデオを撮影するユーザーにとっては、iCloud容量の追加購入が前提となるサービスという点には注意しよう。自分を含めて最大6人でシームレスに写真を共有できる「iCloud共有写真ライブラリ」の設定方法も次ページで解説する。

iCloud写真を有効にする

MacBookでは、写真アプリのメニューバーから「写真」→「設定」で「iCloud」タブを開き、「iCloud写真」にチェック。iPhoneやiPadは「設定」→「写真」→「iCloud写真」をオンにすると機能が有効になる。

iCloudの容量を追加購入する

月額130円で50GB追加などのプランから選択できる

iCloud写真を有効にすると、無料で使える5GBでは容量が足りなくなる場合が多い。Appleメニューの「システム設定」で一番上のApple IDを開き、「iCloud」→「管理」をクリック。「ストレージプランを変更」をクリックして容量を追加購入しておこう。

iCloud経由で写真アプリのライブラリが同じ状態になる。撮影したり保存した写真をiCloudに自動保存する機能なので、MacBookでiPhoneの写真を見ないなら、iPhoneだけ機能を有効にしてiCloud上へのバックアップとして使うこともできる

POINT

iCloudを使わず写真を同期する

iCloud写真がオフの時は、Finderで写真を手動で同期できる。まずMacBookとiPhoneやiPadをUSBケーブルまたはWi-Fiで接続し、Finderのサイドバーからデバイス名をクリックしよう。iPhone（iPad）の管理画面が開くので、上部メニューの「写真」を開く。iCloud写真が有効だとこの画面は操作できない。続けて「デバイスとの写真の共有元」にチェックし、「写真」を選択。すべて同期するなら「すべての写真とアルバム」を選択する。「選択したアルバム」を選ぶと、下部のリストで選択したアルバムや人の写真のみ同期することも可能だ。

iCloud写真の動作を確認する

1 iPhoneで撮影した写真はすぐにMacBookに表示される

iPhoneで撮影した写真は自動的にiCloudにアップロードされ、MacBookの写真アプリにも表示される

MacBookにも表示

iPhoneで撮影

2 MacBookのストレージ容量を節約する

「写真」→「設定」→「iCloud」タブで「Macストレージを最適化」にチェック

MacBookの空き容量が足りない時は、設定で「Macのストレージを最適化」に変更しよう。空き容量が少なくなると、MacBook内の写真が縮小版に置き換わり、フル解像度のオリジナル写真はiCloud上に残るようになる。

3 それぞれのデバイスで写真を削除した時の動作

削除した写真は「最近削除した項目」に30日間残る。中身を開くにはロック解除が必要（P085で解説）

iCloud写真を有効にしたデバイスで写真を削除すると、すべてのデバイスから写真が削除されるので要注意。ただし、誤って消しても、30日以内なら「最近削除した項目」から復元できる。

4 それぞれのデバイスで写真を編集した時の動作

オリジナルに戻す

他のデバイスで編集した写真も元に戻せる

MacBookやiPhoneで写真に編集を加えると、同期しているすべてのデバイスで編集結果が反映される。なお、オリジナル写真はiCloudに残っているので、いつでも元の状態に戻すことが可能だ。

5 写真アプリ外にコピーしてバックアップ

ドラッグ＆ドロップで、デスクトップに作成したフォルダなどへコピーしよう

iCloudの容量がどうしても足りない時は、古い写真をMacBookへコピーし、iCloud上から削除してしまおう。iPhoneなど他のデバイスから古い写真が見えなくなるが、MacBook内には残しておける。

iCloud共有写真ライブラリで家族や友人と共有する

1 共有ライブラリの設定を開始

クリック

iCloud写真をオンにした上で、写真アプリのアプリメニューで「写真」→「設定」→「共有ライブラリ」→「始めよう」をクリックする。

2 参加者の招待などを済ませる

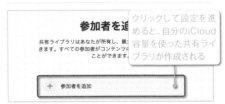

クリックして設定を進めると、自分のiCloud容量を使った共有ライブラリが作成される

「参加者を追加」で共有したいメンバーを追加し、共有ライブラリに移動する写真の選択などを進め、メッセージで参加依頼を送る。

3 共有ライブラリの写真を確認する

参加メンバーは自由に写真を追加したり編集できる。ライブラリの上部メニューを「共有ライブラリ」に変更すると共有ライブラリ内の写真のみ表示する。

POINT

同期せずにiPhoneやiPadを接続して写真を取り込む

同期するのではなく、接続したiPhoneやiPadから、必要な写真だけ選んで取り込むことも可能だ。USBケーブルで接続すると、写真アプリのサイドバーにデバイス名が表示されるので、これをクリック。

MacBookにない写真やビデオが一覧表示されるので、必要なものにチェックして、右上の「選択項目を読み込む」をクリックしよう。「すべての新しい項目を読み込む」でまとめて追加することもできる。

「○個の選択項目を読み込む」で選択した写真のみ取り込む。「すべての新しい項目を読み込む」ですべて追加

SidecarでiPadをサブディスプレイやペンタブレットとして利用する

iPadを持っているなら、ぜひ利用したい機能が「Sidecar」だ。iPadの画面をMacBookの2台目のディスプレイとして使えるので、単純に作業スペースが広がるし、MacBookのアプリをiPadのApple Pencilで操作できるようにもなる。

MacBookの画面とiPadの画面を連携させよう

デュアルディスプレイ環境を簡単に構築できる

iPadを、MacBookの2台目のディスプレイと活用できる便利な機能が「Sidecar」だ。Sidecarに対応したMacBookとiPadを使用し、それぞれ同じApple IDでサインインしており、BluetoothとWi-Fi、Handoffが有効になっていれば利用できる。MacBookの画面の延長先にiPadの画面があるように使うこともできるし、MacBookと同じ画面をiPadに表示させることも可能だ。Sidecarで接続中はiPadの画面をタッチ操作できないが、Apple Pencilの操作には対応しているので、特にイラストを描く時などはiPadをペンタブレットとして活用することも可能。なお、SidecarではMacBookからiPadの操作はできないが、「ユニバーサルコントロール」（P128で解説）を利用すれば、MacBookのトラックパッドやキーボードを使ってiPadを直接操作でき、ファイルの受け渡しなどもドラッグ&ドロップで行える。

表示方法❶ 個別のディスプレイとして使用

MacBook側ではテキストエディタで原稿を書く

Sidecarで実行できる2つのディスプレイ表示方法

表示方法❶ 個別のディスプレイ……別々の内容を表示

画面を広く使える

iPadの画面をMacBookの画面の延長領域として使うモード。余分なウインドウをiPad側に置いて画面を広く使えるほか、MacBookにはアプリのメイン画面だけ配置してツールやパレットをiPad側に配置したり、ファイルを2つ開いて見比べながら作業したい時にも便利。

表示方法❷ ミラーリング……同じ内容を表示

ペンタブレット化も可能

MacBookと同じ画面をiPadにも表示するモード。プレゼンで相手に同じ画面を見せたい時などに役立つほか、iPadをペンタブレット化できる点も便利。MacBookでイラストアプリを起動すれば、iPad側ではApple Pencilを使ってイラストを描ける。

Sidecarの利用条件

● macOS Catalina以降のMacBook

● iPadOS 13以降のiPad（第6世代以降）、iPad Air（第3世代以降）、iPad mini（第5世代以降）、iPad Pro（全モデル）

● 両方のデバイスで同じApple IDでサインイン

● ワイヤレスで接続する場合は、10メートル以内に近づけ、両デバイスでBluetooth、Wi-Fi、Handoffを有効にする。また、iPadはインターネット共有を無効にする

● 有線で使う場合は、両デバイスともBluetooth、Wi-Fi、Handoffがオフでもよい。iPadでインターネット共有中でも利用できるが、その場合iPadのWi-FiとBluetoothはオンにする必要がある

個別のディスプレイとして接続する操作手順

1 コントロールセンターから接続

Macのコントロールセンターを開き、「画面ミラーリング」をクリック。「ミラーリングまたは拡張」に接続可能なiPad名が表示されるので、これをクリックすればSidecarで接続できる。

2 個別のディスプレイを選択する

メニューバーの画面ミラーリングボタンをクリックし、iPad名の横にある「>」をクリック。iPadをMacBookのサブディスプレイとして使う場合は「個別のディスプレイとして使用」を選択しよう。

3 Sidecarの接続を解除する

画面ミラーリングのメニューを開き、iPad名をクリックすると接続を解除できる。iPadのサイドバーにある接続解除ボタンをタップして「接続解除」をタップしてもよい。

ポインタの移動方法
ポインタは、MacBookの画面の端からiPadの画面へ移動して操作できる。iPad側ではポインタを指で操作できない

iPad側では必要な資料を表示していつでも確認できるように。なお、iPadの画面でデスクトップ上に新規フォルダなどを作成した場合は、接続を解除するとMacBookのデスクトップに保存されている

ディスプレイの位置関係を変更する

AppleメニューやDockで「システム設定」を開き、「ディスプレイ」→「配置」をクリック

画面を好きな位置にドラッグ。白いメニューバーをiPad側にドラッグすれば主要ディスプレイに変更できる

初期配置ではMacBookの画面の右端がiPadの画面の左端とつながるが、この位置関係は変更できる。主要ディスプレイをMacBookとiPadのどちらにするかも変更可能だ。

ウインドウを移動させる方法

1 ウインドウをドラッグして移動する

ウインドウを右端にドラッグ（MacBookの右側にiPadを配置している場合）

MacBookの画面でウインドウを右端にドラッグすると、iPadの画面の左端にウインドウが表示される。ポインタがiPad側に移動した時点でウインドウも移動する。

2 フルスクリーンボタンで移動する

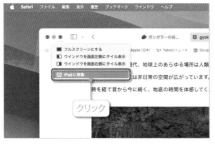

ウインドウのフルスクリーンボタンの上にポインタを置くとメニューが表示され、「iPadに移動」で素早くiPad側に移動できる。iPad側では「ウインドウをMacに戻す」でMacBook側に戻せる。

3 iPad側の画面で新しいウインドウを開く

メニューバーやDockから新しいウインドウを開く

iPad側の画面にもメニューバーやDockは表示できる。MacBook側でウインドウを開いて移動しなくても、iPad側の操作で新しいウインドウを開くことが可能だ。

内蔵Retinaディスプレイをミラーリング

MacBook側ではイラストアプリなどを起動。ペン入力以外の操作はMacBook側で行おう

MacBookとiPadで同画面が表示される

イラストを描いたり細かいフォトレタッチを行ったりは、Apple Pencilを使ってiPad側で行う

MacBookとiPadをミラーリングする手順

1 コントロールセンターから接続

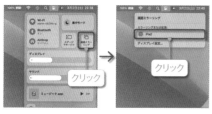

Macのコントロールセンターを開き、「画面ミラーリング」をクリック。「ミラーリングまたは拡張」に接続可能なiPad名が表示されるので、これをクリックすればSidecarで接続できる。

2 ミラーリングを選択する

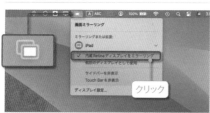

メニューバーの画面ミラーリングボタンをクリックし、iPad名の横にある「>」をクリック。MacBookとiPadを同じ画面で使う場合は「内蔵Retinaディスプレイをミラーリング」を選択しよう。

3 Sidecarの接続を解除する

メニューバーの画面ミラーリングボタンをクリックし、iPad名をクリックすると接続を解除できる。iPadのサイドバーにある接続解除ボタンをタップして「接続解除」をタップしてもよい。

Sidecarを利用する際の注意点

1 Apple Pencilを使うなら解像度をiPadに合わせる

「システム設定」→「ディスプレイ」を開き、MacBookの「解像度の設定」を「iPad」に変更する

ミラーリング時の解像度がMacBook側に合っていると、iPadでApple Pencilを使う際に、ペン先とポインタの位置がずれることがある。これはディスプレイの設定で解像度をiPad側に合わせるとことで解消できる。

2 Apple Pencilのペアリングが解除される

iPadを再起動してペアリングし直す

Sidecarで接続した際に、Apple Pencilのペアリングがすぐ解除されるようなら、一度iPadを再起動してみよう。Apple Pencilを再度ペアリングし直せば、解消することが多い。

3 Sidecarを使わずPDFに手書きする方法

PDFに手書きしたいだけなら、いちいちSidecarで接続する必要はない。P134で解説している「連係マークアップ機能」を使えば、クイックルック画面から素早くiPadと連携してApple Pencilで編集できる。

POINT

個別ディスプレイで手書きするのも便利

Sidecarをミラーリングで利用すると、メニューの選択やテキスト入力といった操作をMacBook側で行い、イラストの描画やPDFの書き込みといった手書き操作はApple Pencilが使えるiPad側で行うなど、MacBookとiPadで同じ画面を見ながら操作の使い分けができる点が便利だ。ただ、P124の「個別のディスプレイとして使用」に切り替えたほうが使いやすい場合もある。例えばMacBookで起動したイラストアプリを全部iPad側に移動して、MacBook側に表示した資料を見ながら、iPad&Apple Pencilでイラストを描くといった使い方だ。利用シーンに合わせて、Sidecarの接続方法も切り替えよう。

Sidecarのさまざまな機能を利用する

1 iPadの画面に メニューバーを表示

メニューバーが表示される。iPad画面で画面の一番上にカーソルを動かしても表示できる

指やApple Pencilでタップ。サイドバーやTouch Barのボタンはポインタでは操作できない

iPadでウインドウをフルスクリーン表示している時は、サイドバー（iPad画面左側のメニュー）の左上ボタンでメニューバーの表示／非表示を切り替えできる。サイドバーのボタンは指やApple Pencilでタップできる。

2 iPadの画面に Dockを表示する

Dockが表示される。iPad画面で画面の一番下にカーソルを動かしても表示できる

タップ

メニューバー表示ボタンの下のボタンをタップすると、iPadの画面にDockが表示され、MacBookの画面からはDockの表示が消える（個別のディスプレイの場合）。もう一度タップで元に戻る。

3 iPadで装飾キー を利用する

上から「command」「option」「control」「shift」キー。「command」キーで複数ファイルを選択する際など、MacBookのキーボードを使わずにiPadの画面だけで素早く操作できる

サイドバーには「command」や「option」などの装飾キーも用意されている。これらのキーはロングタップして利用できるほか、ダブルタップするとキーがロックされる。

4 サイドバーの その他のボタン

上から取り消し、キーボード、接続解除ボタン

サイドバーの左下にある3つのボタンで、直前の操作の取り消しや、キーボードの表示／非表示切り替え、Sidecarの接続解除を行える。

5 iPadでTouch Bar を使う

画面下部のTouch Barで各種操作が可能。指でタッチして操作する

Sidecarで接続すると、MacBookにTouch Barが搭載されていなくても、iPadの画面にTouch Barが表示される。MacBookのTouch Barと同じように機能し、アプリごとにさまざまなメニューを操作できる。

6 サイドバーや Touch Barを隠す

「サイドバーを非表示」「Touch Barを非表示」を選択すると非表示になる

サイドバーやTouch BarがあるとiPadの作業領域が少し狭くなる。使わないなら非表示にしておこう。メニューバーの画面ミラーリングボタンをクリックすると表示／非表示を切り替えできる。

7 Apple Pencilで タッチ操作する

ダブルクリックも可能だがドラッグになりやすいので、トラックパッドで操作した方が簡単

Sidecarを利用中はiPadの画面を指でタッチ操作できないが、Apple Pencilを使えばポインタの移動やクリックなどをタッチ操作で行える。またイラストを描いたり手書き文字を入力することも可能だ。

8 Sidecar利用中に iPadアプリを使う

タップするとSidecarの画面に戻る

Sidecarを利用中でも、ホーム画面に戻ればiPadのアプリを利用することが可能だ。Dockに表示されるSidecarのアイコンをタップすると、Sidecarの画面に戻ることができる。

iPadの画面で使える ジェスチャー

iPad画面ではサイドバーやTouch Bar以外の画面を指でタッチ操作できないが、iPadのジェスチャーは利用できる。利用可能なジェスチャーは下記の通り。

スクロール	2本指でスワイプ
コピー	3本指でピンチイン
カット	3本指で2回ピンチイン
ペースト	3本指でピンチアウト
取り消す	3本指で左にスワイプするか、3本指でダブルタップ
やり直す	3本指で右にスワイプ

POINT

iPadスタンドの 利用がおすすめ

iPadを個別のディスプレイとして接続する場合、iPadの画面と見比べながらMacBookで作業をすることになるので、iPadの画面が自立していないと使いづらい。iPadのサイズに対応したタブレットスタンドを別途用意して、iPadの画面を見やすい環境を整えておこう。

サンワダイレクト
200-STN035
価格／2,380円

ユニバーサルコントロールを使いこなそう

MacBookのトラックパッドで iPadを操作する

MacBookのトラックパッドやキーボードを使ってiPadを操作できる機能が「ユニバーサルコントロール」だ。ポインタがMacBookとiPadの画面を自由に行き来してシームレスに操作することが可能だ。なお、2台のiPadを接続して操作することもできる。

ユニバーサルコントロールの利用条件や設定をチェック

MacBookから手を離さず iPadをコントロールできる

Sidecar(P124で解説)はMacBookの画面を拡張したりミラーリングするための機能なので、MacBookからiPadの操作はできない。これに対し「ユニバーサルコントロール」は、MacBookのトラックパッドとキーボードを使って、近くにあるiPadを直接操作できるようになる機能だ。1台のMacBookから最大2台のiPadをコントロールでき、複数の画面をポインタがシームレスに行き来してデバイスの違いを意識せずに操作できる。MacBookで作業しながら手を離すことなくiPadアプリを利用できるので、LINEやSlackなどをiPadで開いておいて投稿や返信はMacBookから行ったり、iPadでYouTubeの動画を流しながら再生コントロールはMacBookから行うといった使い方ができる。さらにユニバーサルコントロールで接続されたデバイス間では、ドラッグ&ドロップで手軽にファイルをやり取りすることも可能だ。なお、ユニバーサルコントロールでは、iPadだけではなく別のMacを操作することも可能だ。

矢印のポインタがMacBookの画面にある時は、通常通りトラックパッドやキーボードを使ってMacBookの画面やアプリを操作する

MacBookとiPadの事前の設定

MacBookの設定

各スイッチをオンにする

MacBookでは、「システム設定」→「ディスプレイ」→「詳細設定」をクリックし、「MacまたはiPadにリンク」の各スイッチをすべてオンにしておく。

iPadの設定

オンにする

iPadでは、「設定」→「一般」→「AirPlay と Handoff」を開き、「カーソルとキーボード」のスイッチをオンにしておけばよい。

利用条件

●macOS Monterey 12.4以降をインストールした、2016年以降発売のMacBookおよびMacBook Pro、2018年以降発売のMacBook Air

●iPadOS 15.4以降をインストールした、iPad(第6世代以降)、iPad Air(第3世代以降)、iPad mini(第5世代以降)、iPad Pro(全モデル)

●各デバイスで同じApple IDでサインイン

●各デバイスを10メートル以内に配置し、それぞれでBluetooth、Wi-Fi、Handoff を有効にする。また、iPadはインターネット共有を無効にする

ユニバーサルコントロールを開始する

1 MacBookでiPadの方向にポインタを動かす

ポインタを画面端のさらに先まで動かし続ける

MacBookの近くにロックを解除したiPadを置いたら、MacBookでiPadがある方向にポインタを移動し、画面端まで到達してもさらに動かし続ける。

2 ポインタがiPadの画面内に移動する

ポインタがiPadの画面内に入るまで動かす

iPadの画面にポインタがはみ出す画面が表示されるので、ポインタをそのまま画面内まで押し進める。一度ポインタが移動すると、以降はポインタがスムーズに移動するようになる。

3 ディスプレイの配置を変更する

iPadの画面をドラッグして左や右、下に配置する

Appleメニューや Dockで「システム設定」を開き、「ディスプレイ」→「配置」をクリック。MacBookとiPadの画面の位置関係を変更できる。MacBookの左右だけではなく、下にもiPadを配置可能だ。

画面左上の日時をクリックするか、ポインタを上方向に動かし続ける（iPadの画面がMacBookの下に配置されていない時）と、通知センターが開く

画面右上のステータスアイコンをクリックするか、ポインタを上方向に動かし続ける（iPadの画面がMacBookの下に配置されていない時）と、コントロールセンターが開く

ポインタをiPadの画面に移動すると丸印のポインタに変わり、MacBookのトラックパッドやキーボードを使ってiPadの画面やアプリを操作できるようになる

ユニバーサルコントロールからSidecarに切り替える

「ディスプレイを拡張またはミラーリング」を選択

ユニバーサルコントロールではなくSidecar（P124で解説）を使いたい場合は、AppleメニューやDockから「システム設定」→「ディスプレイ」を開き、iPadの画面を選択。「使用形態」を「ディスプレイを拡張またはミラーリング」に変更すればよい。また、コントロールセンターを開いて「画面ミラーリング」をクリックしiPad名を選択することでも、Sidecarに切り替えられる。

トラックパッドによる各種操作

1 タップなどの基本操作

1本指でクリックするとタップ操作になるなど直感的に操作できる

iPadの画面はトラックパッドジェスチャで操作する。トラックパッドを1本指でクリックしてタップ、長押しでロングタップ、クリックしたまま動かしてドラッグする。

2 Dockを開いたりホーム画面に戻る

ホーム画面に戻るには、ポインタで操作するよりもトラックパッドを3本指で上にスワイプ操作の方が簡単でおすすめ。途中で止めるとアプリスイッチャー画面になる

ポインタを画面最下部に移動してさらに下に動かすとDockが表示される。Dockが表示された状態でさらに下に動かすとホーム画面に戻る。

3 画面をスクロールする操作

ホーム画面のページ切り替えは2本指で左右にスワイプ。なお、スワイプによるスクロールの方向を逆にしたい場合は、iPadの「設定」→「一般」→「トラックパッド」の「ナチュラルなスクロール」のスイッチをオフにしよう

トラックパッドを2本指で上下にスワイプすると上または下にスクロール。2本指で左右にスワイプすると左または右にスクロールする。

ユニバーサルコントロールの各種操作

1 MacBookのキーボードで文字を入力する

MacBookのキーボードでタイプ入力する

iPadの入力画面でテキストが入力される

ユニバーサルコントロールの利用中はトラックパッドだけでなくキーボードも共有されるので、ポインタがiPadの画面内にある状態で入力画面を開くと、MacBookのキーボードを使ったテキスト入力が可能だ。ただし、日本語入力システム自体はiPadのものを使用するので、MacBookの変換履歴やATOKなどのユーザ辞書は利用できない。

2 オンスクリーンキーボードに切り替える

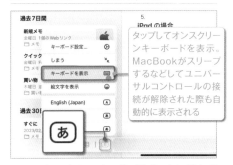

タップしてオンスクリーンキーボードを表示。MacBookがスリープするなどしてユニバーサルコントロールの接続が解除された際も自動的に表示される

iPadのオンスクリーンキーボードを使いたい時は、テキスト入力中に表示されるツールバーで「あ」「A」などのボタンをタップし、メニューから「キーボードを表示」をタップすればよい。

3 ファイルや写真などを相互にドラッグ&ドロップ

MacBookのファイルを選択してiPadにドラッグする。逆にiPadからファイルをドラッグしてもよい

ドラッグしたファイルに「+」マークがあればペーストできる。なお原稿執筆時点では、iPadのAssistiveTouchがオンになっているとファイルをドラッグ&ドロップできないので注意しよう

ユニバーサルコントロールは、デバイス間のドラッグ&ドロップにも対応している。片方の画面でファイルを選択して、もう片方の画面まで移動するだけで、手軽に双方でファイルをやり取りすることが可能だ。ただし、ドラッグした際に「+」マークが表示されるファイルはペーストできるが、丸にスラッシュが入った禁止マークが付いているとペーストできない。

POINT

こんなシーンで活用しよう

デバイス間のドラッグ&ドロップが特に便利なのは、MacBookにしかないファイルを手軽にiPadアプリに転送できる点だ。iPadは複数の場所に散らばった画像やファイルを一箇所にまとめる操作にあまり向いていないので、例えばGoodNotes 5などの手書きノートアプリと組み合わされば、必要な画像やファイルをMacBookからさっとドラッグしてノートに追加でき資料の作成がはかどるはずだ。

4 2台のiPadを同時に接続する

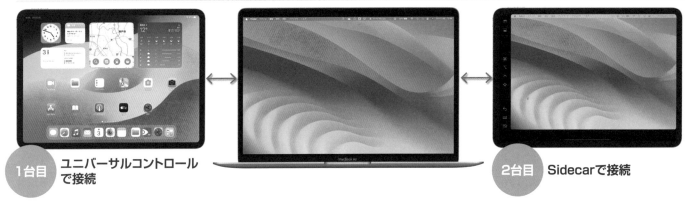

1台目 ユニバーサルコントロールで接続

2台目 Sidecarで接続

ユニバーサルコントロールは最大2台まで接続できるので、MacBookにiPad2台を接続して、それぞれでMacBookのトラックパッドとキーボードを行き来して操作することが可能だ。接続デバイスを増やすには、Appleメニューで「システム設定」→「ディスプレイ」を開き、「+」をクリック。「キーボードとマウスをリンク」欄から追加したいデバイスを選択すればよい。なお、上記のようにMacBookの左右にiPadをそれぞれ配置しなくて

も、右（左）に2台のiPadを並べてもいい。さらに、1台をユニバーサルコントロールで接続し、もう1台はSidecarで利用することも可能だ。なお、2台をユニバーサルコントロールで接続することはできるが、2台ともSidecarで接続することはできない。iPad1台と別のMac1台を接続して利用することも可能だ。

iCloudではできない完全なバックアップを実行

iPhoneやiPadのデータを MacBookにバックアップする

iPhoneやiPadでは、「iCloudバックアップ」さえ有効にしておけば自動でバックアップが作成されるが、すべてのデータがiCloud上に保存されるわけではない。完全なバックアップを保存しておきたいなら、MacBookで暗号化バックアップを作成しておこう。

MacBookへのバックアップと復元の手順

暗号化にチェックすれば IDやパスワードも保存可能

　iPhoneやiPadは通常、「iCloudバックアップ」でバックアップが自動的に作成される。ただし、iCloudバックアップでは、アプリデータやデバイスの設定など重要な情報は保存されるものの、アプリ内のアカウント情報などは保存されない。これらもすべて含めた完全なバックアップデータを作成しておきたいなら、暗号化バックアップを有効にした上で、MacBook上にバックアップを作成しておくのがおすすめだ。

1 このMacに バックアップを選択

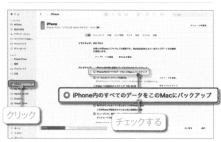

iPhoneをMacBookに接続したら、Finderのサイドバーで「iPhone」をクリック。「一般」タブで「iPhone内のすべてのデータをこのMacにバックアップ」にチェックしよう。iPadでも操作は同様だ。

2 暗号化にチェックし パスワードを設定

パスワードやIDも含めた完全なバックアップを作成するには、「ローカルのバックアップを暗号化」にチェック。表示された画面でパスワードを設定しよう。このパスワードは復元時に必要なので忘れないように。

3 バックアップが 開始される

自動的にバックアップが開始される。開始されない時は「今すぐバックアップ」をクリックしよう。進捗状況は、「一般」タブ下部の進捗バーや、サイドバーの「iPhone」横のアイコンで確認できる。

4 バックアップから 復元する

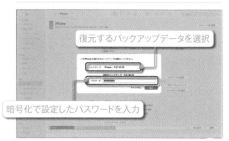

復元する時は、「バックアップを復元」ボタンをクリック。最新日時のバックアップを選択し、暗号化バックアップで設定したパスワードを入力したら「復元」ボタンをクリックしよう。

5 「探す」がオンだと 復元できない

iPhoneの「探す」がオンのままだと復元できない。iPhoneで「探す」機能をオフにするか初期化しておこう。iPhoneで操作できない時は、iCloud.comなどで遠隔操作で初期化することもできる。

POINT

「iCloudにバックアップ」で保存されるデータ

「iPhone内の最も重要なデータをiCloudにバックアップ」の方を選んで「今すぐバックアップ」すると、iPhoneやiPadで作成するiCloudバックアップと同じく、アプリデータやデバイスの設定、ホーム画面とアプリの配置など重要なデータのみがiCloud上に保存される。この時「バックアップを管理」をクリックすると、バックアップデータがiCloudバックアップの作成日時に更新されるので、以前作成した暗号化バックアップのデータが消えたように見える。しかしバックアップデータはそのままのサイズで残っており、暗号化バックアップにiCloudバックアップの最新の更新データが適用されているだけのようだ。復元時も問題なく暗号化バックアップのデータを選択して復元できる。

便利すぎるMacBook × iPhone／iPad連携技

MacBookとiPhoneやiPadの組み合わせでより便利に使えるようになる連携技は、まだまだある。ここでは、その他の連携技をまとめて紹介していこう。

AirDropでファイルや情報を素早く共有する

共有ボタンやFinderから手軽に送受信できる

「AirDrop」を使えば、近くのiPhoneやiPad、Macと手軽に写真や連絡先、各種ファイルを送受信できる。MacBookからAirDropで情報を相手に送る方法としては、アプリの共有ボタンやFinderの右クリックメニューで「共有」を選んで送る方法と、Finderのサイドバーにある「AirDrop」画面から送る方法の、2通りがある。今見ているWebサイトの記事を伝えたいときや、連絡先情報を送りたい時などは、それぞれのアプリの共有ボタンで操作しよう。複数の写真やファイルをまとめて送りたい時は、ドラッグ&ドロップで手軽に送信できる、Finderの「AirDrop」画面を使うのが便利だ。ファイルを選択して右クリック→「共有」→「AirDrop」を選択してもよい。なお、相手からAirDropでデータをもらうには、自分の方でも受け入れ体制が整っている必要がある。Finderの「AirDrop」画面の下部に「このMacを検出可能な相手」という項目があるのでクリックしよう。連絡先に登録していない人から貰うには「すべての人」を選択する必要がある。

1 共有ボタンからAirDropを使う

クリック

今見ているWebサイトを送りたい時などは、Safariの共有ボタンから「AirDrop」を選択。送り先の相手の名前をクリックすれば送信される。

2 FinderのサイドメニューからAirDropを使う

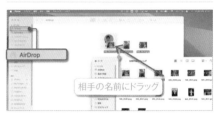

相手の名前にドラッグ

ファイルを送りたい時は、Finderのサイドメニューの「AirDrop」画面を利用しよう。送り先の相手の名前にファイルをドラッグすれば送信される。

3 AirDropで送られたファイルを受け取る

クリックして保存。同じApple IDを使ったデバイスから送った場合は、確認なしで自動的に保存される

iPhoneやiPadからAirDropで送信されたファイルがあると、通知が表示される。「受け付ける」をクリックすると、「ダウンロード」フォルダに保存される。

4 相手のAirDropに表示されない場合の設定

FinderのAirDrop画面で「このMacを検出可能な相手」を「すべての人」にすれば、近くの人全てにAirDropの共有を許可する

相手からAirDropでデータを貰う際に、自分のMacBookの名前が相手に表示されない時は、「このMacを検出可能な相手」を「すべての人」に変更しよう。

MacBookとiPhoneやiPadでアプリの作業を引き継ぐ

Handoffを有効にして連携させよう

MacBookやiPhone、iPadでは、「Handoff」機能によって、対応アプリでやりかけの作業を他のデバイスに引き継ぐことができる。例えば、移動中にiPhoneで書いていたメールを、帰宅してからMacBookで開いて続きを書くといったことが可能だ。Handoffを利用するには、それぞれのデバイスで同じApple IDを使ってサインインし、設定でBluetooth、Wi-Fi、Handoffがオンになっていればよい。

Handoffでメールの作成を引き継ぐ

ここでは、iPhoneでメールを作成する。なお、標準アプリだけではなく、他社製アプリでもHandoff対応のものがある

Handoffマークのメールアプリをクリックして作業を引き継ぐことができる。なお、MacBookからiPhoneへ作業を引き継ぐ場合は、iPhoneのアプリスイッチャー下に表示されるバナーをタップする。iPadで引き継ぐ場合は、DockにHandoffマークの付いたアプリが表示されるのでタップして起動すればよい

iPhoneでは「設定」→「一般」→「AirPlayとHandoff」→「Handoff」をオン。MacBookでは「システム設定」→「一般」→「AirPlayとHandoff」→「このMacとiCloudデバイス間でのHandoffを許可」をオンにすれば、iPhoneで作業中のアプリがDockに表示され、クリックして作業を再開できる。

iPhoneのカメラをWebカメラとして利用する

利用条件を満たしていればすぐ使える

MacBookの内蔵カメラはあまり画質が良くないので、オンライン会議などの利用に不満を覚える人も少なくないだろう。しかしiPhone XR以降のiPhoneがあれば、「連係カメラ」機能で高画質なiPhoneのカメラをMacBookのWebカメラとして利用できる。右で記載している利用条件を満たせば使えるが、センターフレーム機能はiPhone 11以降が、スタジオ照明の適用はiPhone 12以降が必要となる点に注意しよう。また右の写真で紹介しているような、iPhoneをMacのディスプレイに取り付けるマウンタも用意しておこう。

連係カメラの利用条件
- macOS Ventura以降にアップデートしたMac
- iOS 16以降にアップデートしたiPhone XR以降
- iPhoneとMacは同じApple IDでサインイン
- BluetoothとWi-Fiがオン
- iPhoneの「設定」→「一般」→「AirPlayとHandoff」→「連係カメラ」がオン

「Belkin iPhone Mount with MagSafe for Mac Notebooks」（税込4,400円）などの、MacBookのディスプレイにiPhoneを取り付けるためのマウンタも用意しておこう

1 Webカメラを使うアプリを起動する

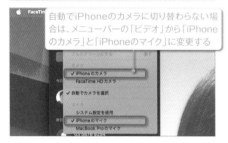

自動でiPhoneのカメラに切り替わらない場合は、メニューバーの「ビデオ」から「iPhoneのカメラ」と「iPhoneのマイク」に変更する

iPhoneをMacBookに取り付け、FaceTimeなどカメラを使うアプリを起動するだけで、自動的にiPhoneのカメラがWebカメラとして認識される。

2 各種機能を利用する

顔が動いてもカメラの中央に収めてくれる「センターフレーム」などをクリックすると、それぞれの機能がオンになる

メニューバーのビデオボタンをクリックすると、センターフレームやポートレート、スタジオ照明、デスクビューなどiPhoneならではの機能を利用できる。

3 リアクアションを利用する

画面にハートを飛ばしたり花火を打ち上げるなどのリアクションを表示できる。Appleシリコン搭載のMacBookなら標準のカメラで利用できる機能だ

Appleシリコンを搭載していないMacBookでも、ジェスチャーやビデオボタンの「リアクション」メニューから画面内にリアクションを表示できる。

iPhoneのモバイル通信でMacBookをネット接続

外出先でWi-Fiが見つからない時は

外出先でMacBookを利用するとなったら、ネット接続はほぼ必須といっても過言ではない。近くに使えるWi-Fiスポットがない場合は、iPhoneのInstant Hotspot機能を使ってインターネット共有（テザリング）を実行しよう。これは、iPhoneのモバイル回線を使ってMacBookでもネット接続ができる便利な機能。パスワード入力なども必要なく、即座に利用開始できる。利用条件は、まずiPhoneの回線契約でテザリングオプションに加入していること。そして、iPhoneとMacBookが同じApple IDでサインインしており、両方のデバイスでBluetoothとWi-Fiがオンになっている必要がある。あとは右で解説している操作ですぐに接続可能だ。また、MacBookとは別のApple IDを使っているiPhoneや、Androidスマートフォンでも、Instant Hotspotほど手軽ではないものの簡単にテザリング接続してネットを利用できる。

インターネット共有利用中は、Dynamic Islandにアイコンが表示されたり、時刻表示部分もしくはステータスバーが緑になる。データ通信の消費量を確認しつつ利用しよう。なお、MacBook側の接続操作で、iPhoneのインターネット共有は自動でオンになる

両デバイスを利用条件通りに設定し、iPhoneをMacBookの近くに置く。インターネット共有のバナーが表示された場合は、「接続」をクリックすればOK。そうでない場合は、メニューバーのWi-Fiアイコンをクリックし、表示されているiPhoneの名前を選択すればよい。Wi-Fiアイコンをクリックし、再度iPhoneの名前をクリックすれば接続が解除される

POINT

Androidスマホなどで接続する

別のApple IDを使っているiPhoneでは、「設定」→「インターネット共有」で「ほかの人の接続を許可」をオンにし、その下にある「"Wi-Fi"のパスワード」を確認する。Androidスマートフォンでは、「設定」のネットワーク関連項目にある「テザリング」を選択し、「Wi-Fiテザリング」をオンにしてパスワードを確認。あとはMacBookでメニューバーのWi-Fiアイコンをクリックし、iPhoneやAndroidの名前を選択して、パスワードを入力し接続すればよい。

MacBookとiPhoneやiPadをまたいでコピペを行う

ユニバーサルクリップ
ボードを利用しよう

Appleデバイス同士では、「ユニバーサルクリップボード」機能でクリップボードを共有できる事を知っておくと、さまざまな作業が劇的にはかどるはずだ。例えばMacBookで長文を仕上げてコピーすれば、iPhone側でメールやLINEなどに貼り付けてすぐに送信できる。テキストだけでなく、画像やビデオのコピーも可能だ（ファイルを選択して「command」+「C」でコピー）。

1 MacBookで作成した
テキストをコピー

クリックしてコピー

iPhoneで送りたいメールが長文ならMacBookで入力した方が早い。作成したテキストをコピーしよう。

2 iPhoneのメール
画面でペースト

iPhoneでメールの作成画面にペーストすると、MacBookで書いたテキストを貼り付けできる

---

iPadを使ってすぐにPDFに指示を書き込む

連係マークアップで
注釈を反映させる

PDFを選択してスペースキーを押すと、クイックルックでPDFの内容が表示される。この画面で上部のマークアップボタンをクリックすると、すぐにiPadの画面にもPDFの内容が表示され、Apple Pencilで細かい注釈を書き込める。iPadに表示されない時は、マークアップ画面のツールバーにあるマークアップボタンをもう一度クリックし、iPad名を選択しよう。

1 クイックルックで
PDFを表示する

クイックルック画面で、マークアップボタンをクリック。iPadの画面にPDFが表示されない時は、マークアップ画面のツールバーから再度マークアップボタンをクリックして、iPad名を選択する

PDFを選択してスペースキーを押し、クイックルックで表示。続けてマークアップボタンをクリック。

2 iPadでPDFに
指示を書き込む

iPadにMacBookで表示中のPDFファイルが表示され、Apple Pencilや指で注釈を書き込める。書き込んだ内容はリアルタイムでMacBook側に反映される

---

iPhone経由で電話を発着信

iPhoneの回線を通して
電話の発着信が可能

MacBookでの作業中にiPhoneに電話がかかってきても、iPhoneをカバンから取り出して手に取る必要はない。MacBookの画面にも着信通知が表示され、そのまま応答して通話ができるのだ。また、MacBookからiPhoneを経由して電話を発信することもできる。これはiPhoneの回線を通しての通話なので、FaceTime通話と違って、相手がAndroidスマートフォンや固定電話でも問題なく発着信が可能だ。通話中にキーパッドを操作したり、ミュートにすることもできる。ただしこの機能を使っていると、iPhoneに電話がかかってくる度に、MacBookでも毎回着信音が鳴ってしまう。機能が不要であれば、MacBookとiPhoneのどちらかの設定をオフにしておこう。片方の機能がオフになっていれば、MacBookでiPhoneの電話が着信しなくなる。

1 MacBook側で
必要な設定

チェックする

iPhoneが近くにありWi-Fiに接続されている場合に、iPhoneのセルラーアカウントを利用して通話を発信/着信します。

自動的に目立たせる

MacBookでは「FaceTime」アプリを起動。メニューバーの「FaceTime」→「設定」→「一般」タブを開いたら、「iPhoneから通話」にチェックしておく。

iPhoneに電話がかかってくると、MacBookの右上にも着信通知が表示される。「応答」をクリックすれば、電話に出て通話できる。電話を切るには「終了」をクリック

2 iPhone側で
必要な設定

オンにする

iPhoneでは「設定」→「電話」→「ほかのデバイスでの通話」をオンにし、iPhoneを経由して電話を発着信したいMacBook名のスイッチをオンにしておく。

MacBookから
電話をかける

「iPhoneで通話:」の電話番号を選択。発信すると、当然iPhoneも通話中の状態になる

MacBookからはFaceTimeアプリで発信する。「新規FaceTime」で電話番号を入力し、Returnキーを押してから、「V」ボタンをクリックして電話をかける電話番号を選択しよう。

iPhoneのSMSをMacBookで送受信

Androidスマートフォンともでやり取りできる

MacBookのメッセージは、基本的にiMessageを利用するためのアプリで、やり取りできる相手はiMessageを有効にしたiPhoneやiPad、Macに限られる。ただしiPhoneを持っており連携を有効にしていれば、iPhoneを経由して、AndroidスマートフォンにSMSやMMSでメッセージを送ることもできる。iPhoneの「設定」→「メッセージ」で「SMS/MMS転送」をタップし、MacBookのスイッチをオンにしておこう。MacBookでメッセージを起動して認証コードが表示される場合は、iPhone側でコードを入力して認証を済ませれば、MacBookでもiPhoneを通してSMSやMMSの送受信が可能になる。なお、メッセージのやり取りをMacBookとiPhoneで同期させるには、iPhoneのiCloud設定で「メッセージ」をオンにし、MacBookのメッセージの設定で「"iCloudにメッセージを保管"を有効にする」にチェックしておく必要がある。

1 iPhoneでSMSやMMSの転送を許可

オンにする。MacBookの画面にコードが表示された場合は、コードを入力して認証する

iPhoneの「設定」→「メッセージ」で「SMS/MMS転送」をタップ。リストからMacBookのスイッチをオンにすれば、MacBookでSMSを送受信可能になる。

2 MacBookでメッセージを同期

MacBookでは、メッセージの「設定」→「iMessage」タブで「iCloudにメッセージを保管"を有効にする」にチェックしておくと、メッセージが同期される。

"iCloudにメッセージを保管"を有効にする

チェックする。またiPhone側でもiCloud設定でメッセージを同期させておく

MacBookのメッセージアプリで、Androidスマートフォンの電話番号を宛先にメッセージを送信してみよう。iPhoneを経由してSMSまたはMMSで送信したメッセージは、自分の吹き出しが緑色で表示される

AndroidからのSMSもMacBookで確認できる

SMSで届いた返信メッセージも表示された

AndroidスマートフォンからSMSで届くメッセージも、このようにMacBookのメッセージアプリで受信して表示される。

iPhoneやiPadで手書きメモを作成してMacBookに取り込む

連係スケッチでイラストを挿入

作成中のメモやメールにiPhoneやiPadで描いた手書きのイラストを追加したい、という時に便利なのが「連係スケッチ」機能だ。たとえばメモアプリでは、メモを開いてメモ内を右クリックし、「iPhoneまたはiPadから挿入」から連携するiPhoneやiPadを選んで、「スケッチを追加」をクリックすれば良い。iPhoneやiPadでスケッチ作成画面が開く。

1 メモアプリにスケッチを追加

クリック。ツールバーのメディアボタンから「スケッチを追加」を選択してもよい

スケッチを追加

メモアプリの右クリックメニューから「iPhoneまたはiPadから挿入」→「スケッチを追加」を選択。

2 iPhoneやiPadでスケッチを描いて挿入

iPhoneやiPadでスケッチウインドウが開き、指やApple Pencilでスケッチを描いたら、「完了」をタップ。MacBookのメモ内にスケッチが挿入される

MacBookのSiriにiPhoneを探してもらう

「iPhoneを探して」でサウンドを鳴らしてくれる

自宅でiPhoneをどこかに置き忘れて見当たらない、といった場合はMacBookのSiriに頼んで探してもらおう。Siriを起動して「iPhoneを探して」と伝えると、iPhoneで徐々に大きくなるサウンドを再生して場所を知らせてくれる。かなり大きな音量で再生されるので、iPhoneが見つかったらすぐに音量ボタンか電源ボタンを押してサウンドを停止させよう。

1 「iPhoneを探して」とSiriに伝える

「iPhoneを探して」と伝える

iPhoneが見当たらない時は、Siriに「iPhoneを探して」と頼んでみよう。Siriが近くにあるiPhoneを見つけ出してサウンドを再生する。

2 iPhoneが見つかったら音量ボタンなどで消音

iPhoneからサウンドが大音量で鳴り響く。iPhoneが見つかったら音量ボタンか電源ボタンを押すことでサウンドを停止できる

05

トラブル解決
総まとめ

macOSの進化によって、一昔前よりはMacBookのトラブルは減少しており、
その解決方法もわかりやすくなっている。とはいえ、やはりパソコンなのでフ
リーズや起動、終了のトラブルはゼロではなく、解決法を知っておかなければ
お手上げだ。本記事にあらかじめ目を通して、不測の事態に備えておこう。

「修理を受ける前に保証期間が残っていないかチェック」

Appleの保証期間と保証内容を確認しておこう

本体のシリアル番号で保証状況を確認できる

MacBookを含むすべてのApple製品には、購入後1年間のハードウェア保証と、90日間の無償電話サポートが付いている。また、購入後30日以内に「AppleCare+ for Mac」に加入すると、保証とサポートの期間が3年間または解約するまで延長され、過失や事故による修理サービスを格安で受けられるようになる。この保証の残り期間は、「サービスとサポートの保証状況を確認」で調べることができる。MacBookが起動しない場合の調べ方も覚えておこう。

Macbookが起動しない場合は

MacBookが起動しない場合は、他のパソコンのWebブラウザでhttps://appleid.apple.com//にアクセスしてApple IDでサインインし、「デバイス」欄にあるMacBookをクリックしてシリアル番号を確認する。続けてhttps://checkcoverage.apple.com/jp/ja/にアクセスすると、右の「保証状況の確認」画面が開くので、シリアル番号とコードを入力して確認しよう。iPhoneやiPadがあれば、下記のAppleサポートアプリで確認できる。

保証期間と保証内容を確認する方法

1 AppleメニューやDockの「システム設定」→「一般」→「情報」で「詳細」ボタンをクリックすると、保証期間を確認したり、修理サービスや電話サポートにアクセスできる。この画面からAppleCare+ for Macに加入することもできる。

2 シリアル番号が分かれば専用サイトで調べることもできる。まず、Appleメニューの「このMacについて」や、「システム設定」→「一般」にシリアル番号が記載されているので、これをコピーしておこう。

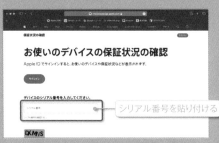

3 Safariでhttps://checkcoverage.apple.com/jp/ja/にアクセスし、「シリアル番号」欄にシリアル番号を貼り付ける。その下の画像で表示されたコードを入力したら、「送信」をクリックしよう。

4 購入日や保証期間が表示される。シリアル番号が分かればいいので、自分の所有デバイス以外の保証期間や、AirPodsやApple Pencilなどアクセサリの保証期間も、この画面で確認することが可能だ。

iPhoneやiPadで「Appleサポート」アプリを使う

iPhoneやiPadを持っているなら、「Appleサポート」アプリをインストールして使ってみよう。「マイデバイス」からMacBookを選択すれば、「デバイスの詳細」で保証期間を確認できるほか、主なトラブルの解決方法も確認できる。チャットや電話で相談したり、持ち込み修理を予約することも可能だ。

Appleサポート
作者／Apple
価格／無料

MacBookが起動しなくなった

トラブル

充電状況を確認しセーフモードなどを試す

電源が入らない、正常に起動しない時の確認手順

MacBookの電源ボタンを押しても起動できないときは、バックライトや「caps lock」キーなどのランプが点灯するかを確認してみよう。これらが点灯せず電源が完全に切れている場合、まず疑うのはバッテリーの充電状況だ。一度バッテリーが空になると、サードパーティ製の電源アダプタやケーブルではうまく充電できないトラブルが多いので、必ず純正のケーブルと電源アダプタを使って充電しよう。通常動作に必要充分なバッテリー残量が確保されるまで、5分程度はつないだままにしておく。正常に充電できるようなら、Intelチップ搭載のMacBookのみ、SMCリセットやNVRAM（PRAM）リセットを実行することで改善する場合があるので試してみよう。なお、Appleシリコン搭載のMacBookはSMCリセットやNVRAMリセット機能がなくなったので、そのまま電源ボタンを押して起動すればよい。デスクトップが表示されたあとの動作がおかしい時は、起動時に読み込まれたアプリなどが不調の原因になっている可能性があるので、「セーフモード」で起動し、直前にインストールしたアプリを削除してから再起動してみる。以上の手順を試しても駄目なら、最終手段として、macOSの再インストールを行おう（P143で解説）。

 使いこなしヒント

セーフモードでMacBookを起動する

起動後も不調な時は、最小限の構成で起動するセーフモードを試そう。セーフモード上で最近インストールしたアプリなどを削除し、もう一度再起動すれば問題が解決する場合がある。セーフモードの起動方法は、Appleシリコン版とIntel版のMacBookで異なる。

●Appleシリコン版
電源ボタンを押し続ける → 起動オプション画面が表示されたら起動ディスクを選択 → 「shift」キーを押したまま「セーフモードで続ける」をクリックする
●Intel版
電源を入れる → ログイン画面が表示されるまで「shift」キーを押し続ける

純正のケーブルと電源アダプタを正しい組み合わせで使う

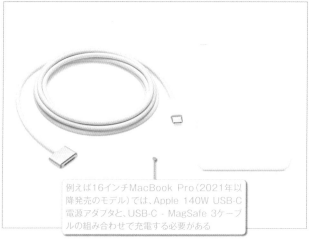

例えば16インチMacBook Pro（2021年以降発売のモデル）では、Apple 140W USB-C電源アダプタと、USB-C - MagSafe 3ケーブルの組み合わせで充電する必要がある

MacBookの電源が入らない時は、まずバッテリー切れを確認する。しばらく充電しているのに電源が入らない時は、使用しているケーブルと電源アダプタを疑おう。特に、一度バッテリーが完全に空になったMacBookを充電するには、純正ケーブルと電源アダプタを正しい組み合わせで接続しないと、うまく充電を開始できないことが多い。MacBookの電源アダプタには29W～140Wのものがあるが、付属のアダプタよりもワット数が小さい電源アダプタでは、十分な電力が供給されないので注意しよう。

Intel版のMacBookでのみ試せる操作

SMC（システム管理コントローラ）をリセットしてみる

2017年以前のMacBookはキーボードの左側の「shift」キー

2018年以降のMacBookはキーボードの右側の「shift」キー

4つのキーすべてを7秒押し続ける

Intel版のMacBookなら、電源やバッテリー、ファン周りを管理する機能、SMC（システム管理コントローラ）をリセットしておこう。電源が入らなかったり充電できないトラブルに効果がある。MacBookの電源が切れた状態で、「control」+「option」+「shift」（キーボード右側）キーを7秒間押し続け、続けて電源ボタンも加えて4つのキーすべてを7秒押し続けてから指を離す。その後数秒待ってから電源を入れよう。なおT2チップを搭載していない2017年以前のMacBookでは、キーボード左側の「shift」キーを使う。

NVRAM（またはPRAM）をリセットしてみる

4つのキーを同時に20秒押し続ける

電源が入っても起動ディスクを読み込めない場合などは、NVRAMまたはPRAMをリセットしてみよう。どちらも、MacBookが素早く起動できるように決まった情報を記憶している小容量のメモリのことで、リセット方法も同じ。MacBookの電源を入れ直し、Appleのロゴが表示される前に「option」+「command」+「P」+「R」の4つのキーを同時に20秒ほど押し続けてからキーを離す。起動後は、音量、画面解像度、起動ディスクの選択、時間帯などがリセットされているので、必要に応じてシステム設定で修正しておこう。

MacBookの電源を切ることができない

電源ボタンの長押しで強制終了できる

作業途中のデータは消えてしまうので注意

　MacBookの電源を切るには、通常はAppleメニューから「システム終了」を選択する。この方法だと、開いているアプリがすべて自動的に閉じ、ユーザーアカウントがログアウトされ、正しいプロセスで電源が切られる。ただ、本体がフリーズするなどして、「システム終了」を実行できないことがある。そんな時は、電源ボタンを長押しすることで、強制的に電源を切ることができるので覚えておこう。Touch IDセンサーを非搭載の古いMacBookであれば、「control」+「command」+電源ボタンで、強制再起動することもできる。なお、強制的に電源を切ると、作業途中のデータなどはすべて消えてしまう。アプリの操作が可能であれば、あらかじめ作業中のファイルの保存を済ませてから、電源ボタンを長押しするようにしよう。

1 MacBookの電源を切る正しい手順

Appleメニューから「システム終了」を選択すると、終了プロセスが進められて正常に電源を切ることができる。通常はこの方法を選ぼう。

2 作業中のファイルは保存しておく

電源を強制的に切ると、作業途中のデータはすべて消える。アプリ自体を操作できるなら、ファイルの保存を済ませておこう。

3 電源ボタンの長押しで強制終了する

「システム終了」で電源を切ることができないなら、電源ボタンを押し続けよう。強制的に電源を切ることができる。

4 Touch ID非搭載のMacBookの場合

Touch IDセンサーを搭載していないMacBookの場合は、「control」+「command」+電源ボタンを同時に押すことで、強制的に再起動できる。

アプリがフリーズして終了もできない

「アプリケーションの強制終了」で終了させよう

強制終了画面でアプリを選択して終了させよう

　アプリが反応しなくなったり、「command」+「Q」キーで終了できない時は、強制終了を試そう。「option」+「command」+「esc」キーを同時に押すと、「アプリケーションの強制終了」画面が表示される。または、Appleメニューから「強制終了」を選択してもよい。この画面では起動中のアプリが一覧表示されるので、フリーズして終了できないアプリを選択して、「強制終了」をクリック。表示される警告画面でさらに「強制終了」をクリックすれば、アプリが強制的に終了する。アプリを強制終了すると、作業途中で保存していないデータは消えてしまうので注意しよう。なお、Finderがフリーズした場合も強制終了が可能だ。「アプリケーションの強制終了」画面で「Finder」を選択し、「再度開く」をクリックすればよい。

1 ショートカットかAppleメニューで「アプリケーションの強制終了」を開く

「option」+「command」+「esc」の3つのキーを同時に押すか、またはAppleメニューから「強制終了」を選択すると、「アプリケーションの強制終了」画面が開く。

2 「強制終了」をクリックして強制終了する

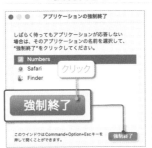

フリーズしたアプリを選択して「強制終了」をクリック。警告画面で「強制終了」をクリックすると、このアプリを強制的に終了できる。

3 Finderも「再度開く」で強制終了できる

Finderがフリーズした場合は、「Finder」を選択して「再度開く」をクリックしよう。これでFinderを強制終了して再起動できる。

レインボーカーソルが頻繁に表示されて困る

解決策 アクティビティモニタで原因を特定しよう

CPUやメモリの使用率が高いプロセスを終了する

MacBookを使っていると、一度はレインボーカーソル（虹色でくるくる回った状態のカーソル）が出て、アプリの操作が何もできなくなった経験があるだろう。急に負荷のかかる操作を行った際に出ることが多いが、あまり頻繁に出現するようなら、他に原因が考えられる。まず「アクティビティモニタ」を起動して、CPUやメモリの使用率が極端に高いプロセスを確認しよう。操作中のアプリではなく、バックグラウンドで動作中の他のプロセスがCPUやメモリを専有していることもある。これを強制終了すれば、CPUやメモリが開放されて、動作が戻るはずだ。特定のアプリやサービスを使うたびにレインボーカーソルが出るなら、何か機能が競合している可能性もある。設定を見直すか、いっそ使わないというのも一つの手だ。

1 アクティビティモニタを起動する

まずはDockのLaunchpadでアプリ一覧を開き、「その他」内にある「アクティビティモニタ」を起動する。

2 CPUやメモリの使用状況を確認する

「CPU」や「メモリ」をクリックすると、実行中のプロセスの使用状況が表示される。極端に使用率が高いアプリやプロセスを確認しよう。

3 原因と思われるプロセスを選択

レインボーカーソルが頻出する原因となっていそうなアプリやプロセスを見つけたら、選択して上部の「×」ボタンをクリックする。

4 強制終了してCPUとメモリを開放

「強制終了」で強制的に終了させてみる。このプロセスが実行されるたびにレインボーカーソルが出るなら、設定の見直しや再インストールを試そう。

誤って上書き保存したファイルを元に戻す

解決策 バージョン機能で保存前の状態に復元できる

対応アプリなら指定した時点に戻すことができる

書類を作成している時に、保存せずに誤って閉じてしまったり、うっかり上書き保存してしまうのはよくあることだ。そんな時でも、バージョン機能に対応しているアプリなら安心。作業中のファイルは定期的に自動保存されており、いつでも好きな時点の書類に戻すことができるのだ。バージョンが自動保存されるタイミングは、基本的に1時間おきとなっている。それ以外でも、「ファイル」→「保存」で上書き保存したら、その時点のバージョンが保存される。以前の状態に戻すには、メニューバーの「ファイル」→「バージョンを戻す」→「すべてのバージョンをブラウズ」をクリック。左側に現在の内容が表示され、右側には過去のバージョンが一覧表示されるので、戻したい時点を選んで「復元」ボタンをクリックすればよい。

1 バージョンを自分のタイミングで保存する

書類の編集中は1時間ごとにバージョンが作成されるが、自分のタイミングで作成したい時は、「ファイル」→「保存」で保存すればよい。

2 バージョンを表示する

保存されたバージョンを表示するには、「ファイル」→「バージョンを戻す」→「すべてのバージョンをブラウズ」をクリックしよう。

3 バージョンを選んで復元する

左に現在の内容、右にバージョン一覧が表示される。右側の矢印ボタンやタイムラインで戻したいバージョンを選択し、「復元」をクリックで戻せる。

💡 使いこなしヒント

バージョン機能に対応するアプリ

バージョン機能に対応している主なアプリは、「テキストエディット」「プレビュー」「Pages」など。Apple以外のアプリでもバージョン機能対応のものはある。メニューバーの「ファイル」をクリックして「バージョンを戻す」の項目があるか確認してみよう。

ゴミ箱を空にできない

トラブル

解決策 | 基本的な対処で駄目なら「First Aid」を試す

まずは再起動から試してみよう

ゴミ箱を空にしたり、ファイルをゴミ箱に移動できない時は、そのファイルが何か他のプログラムに使われている可能性がある。まずは、一度MacBookを再起動してから削除を試そう。再起動後も削除できないなら、起動時にファイルが使われている可能性がある。一度電源を切ってセーフモードで起動（手順はP138で解説）したら、ゴミ箱を空にして通常通り再起動する。それでも消えない場合はディスクを修復してみよう。Appleシリコン版は電源ボタンを押し続けて表示される「オプション」を選択し「続ける」をクリックする。Intel版は電源を入れてすぐに「command」＋「R」を押し続ける。メニューから「ディスクユーティリティ」を選び「First Aid」で修復を済ませたら、あとは再起動してゴミ箱を空にすればよい。

1 一度再起動してから削除する

Appleメニューから一度再起動してゴミ箱を空にする

単に何かのプログラムが使用中で消せない場合は、一度MacBookを再起動してやれば消せるようになる。

2 セーフモードで起動して削除する

セーフモードで起動した状態でゴミ箱を空にしてみる

再起動で消えないなら、セーフモードでゴミ箱を空にできるか試そう。P138で解説している通り、セーフモードの起動方法はAppleシリコン版とIntel版で異なる。

3 ディスクユーティリティを開く

Appleシリコン版は起動時に電源ボタンを押し続け、「オプション」→「続ける」をクリック。続けて「ディスクユーティリティ」を選択

それでも駄目なら、Appleシリコン版は上記の手順で、Intel版は起動時に「command」＋「R」を押し続けて、「ディスクユーティリティ」を開く。

4 「First Aid」で修復してから削除

左欄でディスクを選択して、上部の「First Aid」をクリック。「実行」でディスクを修復できる。あとは通常通り再起動して、ゴミ箱を空にしてみよう。

ユーザ名やパスワードを変更したい

トラブル

解決策 | 「ユーザとグループ」画面で変更しよう

いつでも好きなものに変更できる

MacBookのログイン画面で表示されるユーザ名（フルネーム）と、画面ロックを解除するためのパスワードは、あとからでも自由に変更できる。まず、Appleメニューから「システム設定」→「ユーザとグループ」を開こう。変更したいユーザ名の右にある「i」ボタンをクリックすると、「ユーザ名」欄の名前を書き換えて新しいユーザ名に変更できる。またパスワード欄の「変更」ボタンをクリックすると、新しいパスワードを設定可能だ。なお、ここで変更できる「ユーザ名」とは、初期設定の「コンピュータアカウントを作成」で入力した「フルネーム」の項目だ。P009で解説しているように、フルネームとは別に「アカウント名」もあるが、こちらを変えるとホームフォルダの名前も変更する必要があるので注意しよう。

1 ユーザとグループを開く

Appleメニューから「システム設定」→「ユーザとグループ」を開き、パスワードを変更したいユーザ名の「i」ボタンをクリックする。

2 ユーザ名を変更する

好きな名前に変更する

ユーザ名欄の名前をクリックし、好きな名前を変更しよう。ログイン画面で表示されるユーザ名（フルネーム）が新しい名前に変わる。

3 パスワードを変更する

変更... クリック

パスワード欄の「変更」ボタンをクリックし、古いパスワードと新しいパスワードを入力して「パスワードを変更」をクリックするとパスワードを変更できる。

💡 使いこなしヒント

アカウント名を変更するには

「ユーザとグループ」欄でユーザ名を右クリックして「詳細オプション」をクリックすると、「ユーザ名」欄でアカウント名を変更できる。ただし、別の管理者アカウントでログインしてからでないと変更ができず、ホームフォルダの場所も変わってしまうので、変更は慎重に行おう。

紛失したMacBookを見つけ出す

解決策 「探す」アプリなどを使って探そう

あらかじめ機能が有効になっているかチェック

MacBookの紛失に備えて、iCloudの「探す」機能をあらかじめ有効にしておこう。万一MacBookを紛失した際は、iPhoneやiPadを持っているなら、「探す」アプリを使って現在地を特定できる。または、家族や友人のiPhoneを借りて「探す」アプリの「友達を助ける」から探したり、パソコンやAndroidスマートフォンのWebブラウザでiCloud.com（https://www.icloud.com/）にアクセスして「探す」から探すことも可能だ。どちらも2ファクタ認証はスキップできる。また、紛失したMacBookの「"探す"ネットワーク」がオンになっていれば、オフラインの状態でもBluetoothを利用して現在地が分かる仕様だ。なお、「探す」アプリではさまざまな遠隔操作も可能だ。「紛失としてマーク」を有効にすれば、即座にMacBookはロックされ、画面に拾ってくれた人へのメッセージや電話番号を表示できる。地図上のポイントを探しても見つからない場合は、「サウンドを再生」で徐々に大きくなる音を鳴らすことができる。発見が難しく情報漏洩阻止を優先したい場合は、「このデバイスを消去」ですべてのコンテンツや設定を消去しよう。初期化しても、アクティベーションロック機能により他人に勝手に使われない仕組みになっている。

1 事前に「探す」の設定を確認しておく

「Macを探す」と「"探す"ネットワーク」のオンを確認

Appleメニューから「システム設定」を開き、一番上の「Apple ID」をクリック。「iCloud」→「その他のアプリを表示」→「Macを探す」がどちらもオンになっていることを確認。「システム設定」→「プライバシーとセキュリティ」→「位置情報サービス」もオンにしておこう。

2 iPhoneなどの「探す」アプリで探す

「デバイスを探す」タブで紛失したMacBook名をタップ。オフラインの場合は、検出された現在地が黒い画面の端末アイコンで表示される

MacBookを紛失した際は、同じApple IDでサインインしたiPhoneやiPadなどで「探す」アプリを起動しよう。紛失したMacBookを選択すれば、現在地がマップ上に表示される。

3 友人のiPhoneで友だちを助けるをタップ

タップ

友達を助ける

家族や友人のiPhoneを借りて探す場合は、まず「探す」アプリで「自分」タブを開き、下の方にある「友だちを助ける」をタップ。するとSafariでiCloud.comのサインイン画面が開くので、「サインイン」をタップする。

タップ

紛失したMacBookを選択

「別のApple IDを使用」をタップし、自分（紛失したMacBook）のApple IDを入力してサインインを済ませると、2ファクタ認証も不要で「デバイスを探す」画面が表示される。デバイス一覧から、紛失した自分のMacBookを選択しよう。

4 サウンドを鳴らして位置を特定

タップして音を鳴らす。デバイスがオフラインの時は、次にオンラインになった時に再生される

マップ上の位置を探しても紛失したMacBookが見つからないなら、メニューから「サウンド再生」をタップしてみよう。徐々に大きくなるサウンドが約2分間再生され、MacBookの位置を特定できる。

5 Macをロックして紛失モードにする

「紛失としてマーク」をタップし、続けて「次へ」→「ロック」をタップすると、MacBookをロックできる。画面上には連絡を促すメッセージなどを表示できるほか、クレジットカード情報なども削除される。

「次へ」をタップして画面に表示する連絡先やメッセージを入力し、「ロック」をタップする

6 デバイスを消去して初期化する

メニューから「このデバイスを消去」をクリックすると、MacBookを遠隔で初期化できる。情報漏洩阻止が最優先の場合に実行したい。ただし、消去を実行すると現在地を追跡できなくなるので操作は慎重に。また、現行のMacBookであれば、アクティベーションはロックされたまま初期化するので、再度初期設定を行う際は、初期化前に使っていたApple IDとパスワードが必要になる。つまり、「このデバイスを消去」が実行されたMacBookであっても、勝手に使われたり販売されたりする心配はない。なお、オフラインのデバイスは「このデバイスを削除」を選択できるが、この操作を実行するとApple IDとの関連付けが解除されるので、自分で譲渡や売却するとき以外は選ばないようにしよう。

どうしても不調が直らない時は

トラブル

解決策 **macOSの再インストールを行う**

すべてのデータが消えるので慎重に

P138で紹介したトラブル対処法を一通り試しても動作の改善が見られないなら、MacBookの起動ディスクを初期化して、新しくmacOSをインストールし直すのが、最も確実なトラブル解決方法だ。従来はディスクユーティリティを使って初期化する必要があったが、macOS Monterey以降で、AppleシリコンまたはIntel＋T2チップを搭載したMacBookなら、iPhoneやiPadと同様に「すべてのコンテンツと設定を消去」で手軽に初期化できる。初期化すると工場出荷時の状態に戻るので、あらかじめ「Time Machine」（P100で詳しく解説）でバックアップを作成するか、必要なデータは手動で別の場所にコピーしておこう。また再インストールにはネット接続も必要だ。なお、「メール」「連絡先」「カレンダー」といった標準アプリの多くは、基本的にバックアップの必要はない。「システム設定」→「Apple ID」→「iCloud」で同期が有効になっていれば、常に最新のデータがiCloud上に保存されるので、実質的にバックアップ済みの状態となる。同じApple IDでサインインすれば、すぐに元の状態に戻すことが可能だ。macOSの再インストールもできないような深刻なトラブルは、「Appleサポートアプリ」（P137で解説）などを使ってAppleストアで修理を依頼しよう。

1 「すべてのコンテンツと設定を消去」をクリック

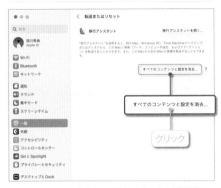

Appleメニューから「システム設定」→「一般」を開き、「転送またはリセット」をクリック。続けて「すべてのコンテンツと設定を消去」をクリックする。

2 Time Machineバックアップの作成を確認

MacBookへのログインに使うパスワードを入力して「OK」をクリックすると、Time Machineでバックアップを作成するよう案内される。新しいバックアップを作成する必要がなければ、「続ける」をクリックしよう。

3 消去される内容を確認する

すべての設定やメディア、データの消去に加えて、Apple IDがサインアウトされ、Touch IDやアクセサリ、"探す"とアクティベーションロックなどもオフになることが案内される。確認して「続ける」をクリック。

4 Apple IDからサインアウトして消去を実行

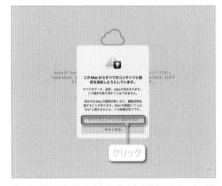

Apple IDのサインアウトを求められるので、Apple IDのパスワードを入力し「続ける」をクリック。最後に「すべてのコンテンツと設定を消去」をクリックすると、消去が実行される。

5 アクティベート画面でWi-Fiに接続する

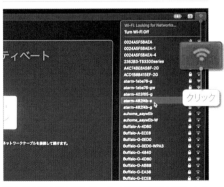

消去が完了するとアクティベート画面が開くので、右上のWi-FiボタンをクリックしてWi-Fiに接続しよう。英語表記の場合は、左上の「Recovery Assistant」→「Change Language」で日本語に変更できる。

6 アクティベート後に再起動して復元する

Wi-Fiに接続してしばらく待つと、MacBookがアクティベートされる。再起動したら、P006からの手順に従って初期設定を進め、「移行アシスタント」画面でTime Machineなどのバックアップから復元しよう。

使いこなしヒント

T2チップのないIntel版MacBookの初期化方法

T2チップを搭載していない2017年以前のIntel版MacBookは、別の手順で初期化する必要がある。まず、起動時に「command」＋「R」を押し続け、複数アカウントを使っている場合はユーザを選択してログインする。ユーティリティウインドウが表示されたら、「ディスクユーティリティ」を選択して「続ける」をクリック。サイドバーで「Macintosh HD」（起動ディスク）を選択し、ツールバーの「消去」ボタンをクリックして消去しよう。あとはユーティリティウインドウの画面に戻って、「macOSを再インストール」を実行すればよい。

MacBook 完全マニュアル 2024

MacBook Perfect Manual 2024

2024年4月5日発行

編集人 清水義博
発行人 佐藤孔建

発行・　スタンダーズ株式会社
発売所　〒160-0008
　　　　　東京都新宿区四谷三栄町
　　　　　12-4 竹田ビル3F
　　　　　TEL 03-6380-6132

印刷所　株式会社シナノ

Staff

Editor
清水義博(standards)

Writer
西川希典
狩野文孝

Cover Designer
髙橋コウイチ(WF)

Designer
髙橋コウイチ(WF)
越智健夫

本書の記事内容に関するお電話での
ご質問は一切受け付けておりません。
編集部へのご質問は、書名および何
ページのどの記事に関する内容かを詳
しくお書き添えの上、下記アドレスまでE
メールでお問い合わせください。内容に
よってはお答えできないものや、お返事
に時間がかかってしまう場合もあります。
info@standards.co.jp

ご注文FAX番号　03-6380-6136

https://www.standards.co.jp/